Gene Hayden

Kleur je eigen regenboog

Van ambitie tot actie

Spectrum

Uitgeverij Unieboek | Het Spectrum bv, Houten – Antwerpen

Spectrum maakt deel uit van Uitgeverij Unieboek | Het Spectrum bv.
Postbus 97
3990 DB Houten

Oorspronkelijke titel: *The Follow-Through Factor. Getting from doubt to done*
Vertaling: Marike Groot
Omslagontwerp: Sarah-Lotte Rietdijk

Eerste druk 2010
Opmaak: studio Xammes, Vijfhuizen

Uitgegeven door: McClelland & Stewart Inc., Canada

ISBN 978 90 491 0398 9
NUR 770
www.unieboekspectrum.nl

Inhoud

Inleiding

Er was een tijd dat ik nooit had verwacht dat juist ik een boek zou schrijven over hoe je jezelf een doel kunt stellen en dat ondanks allerlei obstakels bereiken. Ik was zelf namelijk helemaal niet goed in doelen stellen en daaraan vasthouden. En daar had ik uiteraard zo mijn redenen voor.

Al snel nadat ik was begonnen te werken als journalist voor het bedrijfsleven, besloot ik dat mijn ware roeping toneelschrijven was. Om die stap te zetten, bedacht ik dat ik dan weer moest gaan studeren. Ik zou toneel moeten studeren. Maar dat idee liet ik al snel weer varen toen ik hoorde dat ik dan eerst drie jaar theaterwetenschappen moest studeren voordat ik in aanmerking zou komen voor een programma toneelschrijven. Dan zou ik eerst wel erg veel werk moeten verzetten voordat ik zelfs maar bij het startpunt was aangekomen.

Daarom besloot ik me volledig te storten op het schrijven van reisverhalen, nadat ik bij toeval een aantal opdrachten had gekregen om te schrijven over Australië en Florida. Maar vreemd genoeg droogde de stroom opdrachten om over exotische locaties te schrijven op. Als ik iedere maand de huur wilde betalen, moest ik zelf met ideeën voor verhalen komen bij uitgevers van reisverhalen. In die tijd was de verhouding tussen afwijzing en succes voor een beginnend reisverhalenschrijver 25 tot 1. Waarom zou ik mezelf daarmee kwellen?

En eerlijk gezegd wilde ik eigenlijk gewoon fictie schrijven. Na vijftien jaar als journalist te hebben gewerkt, werd ik compagnon in een pr-bureau. Terwijl ik voor dat bureau werkte, schreef ik een manuscript dat net interessant genoeg was om tot twee keer toe toegelaten te worden tot prestigieuze programma's voor creatief schrijven. Ik moet nu nog steeds blozen als ik eraan denk dat ik er beide keren ook weer mee ben gestopt. Maar ja, ik had gewoon geen tijd om iedere week weer nieuw materiaal aan te leveren.

En tot mijn schaamte kan ik zo nog wel even doorgaan. Zo was mijn carrière als humoristisch columnist juist in een stroomversnelling geraakt toen ik weer begon te twijfelen. Ik maakte me zorgen dat mensen misschien gingen denken dat ik eigenlijk toch niet zo grappig was.

Sommige mensen zijn geboren terriërs. Zodra ze zich in een bot vastbijten, laten ze het voor niets en niemand meer vallen. Dat gold niet voor mij. Als je nog meer vernietigend bewijs wilt, moet je maar eens in mijn kelder kijken. Onder alle spinnewebben vind je dan een ongebruikte elliptische hometrainer en trainingsgewichten, een digitale piano met de handleiding nog in plastic, een nooit in elkaar gezette schildersezel en een dossierkast vol met onvolledige beurs-aanvragen, half afgeronde manuscripten, verzegelde leer-jezelf-Italiaans-cd's en catalogi voor huizenruil waarvan de ruggen nog intact zijn.

Maar ik heb een goed excuus! De gewoonte om nooit verder te gaan dan flirten met een idee, is me namelijk met de paplepel ingegoten. Het grootste deel van mijn jeugd heb ik doorgebracht in een auto op de snelwegen van Europa met een moeder die dromen najaagde, maar ze nooit verwezenlijkte. Met mijn zusje naast haar en ik achterin reden we zo kriskras door Europa dat alle landen, steden en scholen door elkaar zijn gaan lopen, als de afbeeldingen op zo'n oude draaitol.

Ik herinner me niet veel details van mijn jeugd, maar ik kan me wel mijn moeders verhalen herinneren van wat ze allemaal zou gaan doen zodra we in de volgende stad zouden aankomen. Ze zou een talenschool starten, een reisclub opzetten, als tolk werken, een krant voor expats lanceren of een theatergezelschap vormen. Ze was slim, vindingrijk en aantrekkelijk, en ze sprak vier talen vloeiend. Ik dacht echt dat ze alles kon doen wat ze maar wilde.

En daar had ik ook wel aanleiding toe. Waar we ook heen gingen, mijn moeder vond altijd wel een baantje, ook al had ze niet de benodigde werkvergunningen. Ze vond gemeubileerde appartementen die we konden huren, ook al kon ze de borg niet betalen of referenties tonen. Terughoudende schooldirecteuren werden door haar overgehaald om ons toe te laten op het groepsniveau dat overeenkwam met onze leeftijd, ook al spraken we de plaatselijke taal niet.

Iedere keer dat we weer een nieuw plaatsje binnenreden, was ik ervan overtuigd dat we de plek hadden gevonden waar het idee van mijn moeder voet aan de grond zou krijgen en ons leven zou veranderen. En wanneer we twee, drie of zes maanden later weer op pad gingen, geloofde ik mijn moeder wanneer ze uitlegde dat de omstandigheden gewoon niet ideaal waren geweest. Mijn zus, die ouder was, keek dan van voor in de auto naar mij en rolde met haar ogen, maar aan mij had ze geen bondgenoot. Mijn zus begreep niet waar mijn moeder allemaal tegenop moest boksen, maar ik wel. Het was toch niet mijn moeders schuld dat er geen vraag naar Engelse les was in Nergenshuizen in Spanje? En ze had echt niet van tevoren kunnen weten dat ze niet de juiste mensen zou treffen om haar in de expatgemeenschap in Athene te introduceren.

Toen ik dertien was, ging mijn zus terug naar Montréal in Canada, waar we oorspronkelijk vandaan kwamen, om daar naar de universiteit te gaan. Eindelijk mocht ik voorin zitten. En mijn perspectief veranderde, doordat nu ik degene werd die urenlang op de weg vooruit moest staren. Ik merkte dat veel van die lange wegen eigenlijk allemaal hetzelfde zijn. En ook werd ik me ervan bewust hoe de vele verhalen van mijn moeder over wat ze zou gaan doen en wat ze zou kunnen doen als ze maar... ook steeds hetzelfde waren. Maar ik moest kiezen. Ik had kunnen besluiten dat hoe briljant de ideeën van mijn moeder ook waren, ze als bladeren waren die op de wind wegdwarrelden, omdat ze maar niet kon of wilde onderzoeken hoe ze nu eens een van die blaadjes kon grijpen. Of ik kon blijven denken dat ze gewoon het slachtoffer van de omstandigheden was en dat we ooit heus wel op de volmaakte voorwaarden zouden stuiten waardoor ze haar doelen kon bereiken.

Voortdurend op reis zijn is vaak meedogenloos eenzaam. En daarom koos ik er niet voor om afstand te nemen van de enige reisgezel die ik had, maar om samen met haar de teleurstellende hindernissen weg te wuiven die haar beletten om haar plannen te verwezenlijken. En om de kaarten te blijven lezen die haar zouden helpen haar Beloofde Land te vinden.

Uiteindelijk werd het ook voor mij tijd om uit de auto te stappen en terug te keren naar Canada. Ik nam het vliegtuig van Nice naar Montréal. Van achter het vliegtuigraampje stak ik twee duimen op naar mijn moeder terwijl ik haar de auto zag starten om naar Italië te vertrekken. Ze zou altijd op jacht blijven naar haar regenbogen. 27 jaar nadat ik dat vliegtuig had genomen, overleed ze op 84-jarige leeftijd met een ticket naar Sydney in Australië op zak, waar ze van plan was een netwerk voor alleenstaande reizigers op te zetten.

En ik ging de journalistiek in, want dan had ik een beroep waarmee ik door kon gaan met wat ik gewend was: zwerven. Ik heb jarenlang over de wereld gereisd en mensen met allerlei achtergronden geïnterviewd die hun ambities hadden waargemaakt. Om eerlijk te zijn ergerde ik me nogal aan deze mensen. Waarom hadden zij zoveel geluk, terwijl mijn moeder dat niet had? Wat hadden ze dat zij niet had?

Toen ik begin twintig was, dacht ik dat die hoogvliegers speciale, unieke kwaliteiten moesten hebben waardoor ze zich konden onderscheiden van de rest van ons stervelingen. Maar het duurde niet lang voordat ik een illusie armer was. Al snel kwam ik erachter dat veel mensen die ik sprak niet superslim, buitengewoon creatief, zeer moedig of extreem aantrekkelijk waren. Ze gaven zelf namelijk als eerste toe dat ze niet zoveel te bieden hadden op het gebied van talent, intelligentie, schoonheid of creativiteit. Wat zou het dan zijn, vroeg ik me af, waardoor ze anders waren dan anderen, die net zoveel potentie hadden en alleen maar gefrustreerd raakten?

Uiteraard hebben sommige mensen wel degelijk een voorsprong op andere. Ik heb een flink aantal mensen geïnterviewd die echt een groot voordeel hadden. Dat waren mensen die geboren waren met veel talent en visie, of met een atletisch lichaam, of met een achternaam waarvoor deuren vanzelf opengingen. Maar van de vele honderden mensen met wie ik in mijn loopbaan heb gesproken, waren deze geboren loterijwinnaars toch in de minderheid. De meesten waren heel gewone mensen, die met dezelfde twijfel en strijd te kampen hadden als ieder ander.

Ik ontwikkelde er een steeds grotere obsessie voor waarom sommige mensen hun doelen bereiken terwijl zovele andere, die net zoveel talent en wensen hebben, alleen maar op dezelfde wegen rond blijven rijden en nergens komen. Jarenlang heb ik talloze motivatieboeken verslonden en evenzovele inspirerende maar dure lezingen en seminars over de hele wereld bijgewoond om uit te zoeken wat de experts over het onderwerp zeggen. Om hun advies op te sommen: zij zeggen dat het geheim van succes vertrouwen, inzet, gerichtheid, moed, passie en vastberadenheid is. Als je niet beter zou weten, zou je denken dat je haast een superheld met een rode cape en maillot moet zijn om een nieuw project op te pakken of een nieuw bedrijf te beginnen. Maar ik wist zeker dat de vele honderden doelenjagers die ik was tegengekomen niet van die superhelden waren.

Tijdens de eerste helft van mijn carrière fladderde ik van de ene baan naar de andere. Ik vloog niet zo snel als mijn moeder van de ene stad naar de andere ging, maar die rusteloosheid had ik wel van haar overgenomen. Soms kwam het me goed van pas. Ik was jarenlang redacteur voor 'verhalen over mensen' van Canada's nationale nieuwsweekblad en vóór die tijd was ik redacteur van Canada's nationale muziekblad. Ook werkte ik meer dan tien jaar voor veel verschillende bedrijfs- en aanverwante publicaties in Noord-Amerika en Europa. Door deze rits baantjes onderhield ik rechtstreekse contacten met veel verschillende mensen die succes en mislukkingen, en daarna opnieuw succes hadden meegemaakt bij uitdagingen op allerlei gebied.

Steeds maar weer ondervroeg ik alle mensen die ik interviewde over wat hen nou anders maakte dan mijn moeder, mijn collega, mijn buurman of mijzelf. En in bijna alle gevallen ontdekte ik dat ze meer overeenkomsten dan verschillen vertoonden. Veel mensen die hun doelen hadden bereikt, vertrouwden me toe dat ze niet altijd uitzinnig en hartstochtelijk verliefd waren geweest op hun huidige project. Ook hoorde ik mensen vertellen dat ze hun ambitie hadden nagejaagd zonder ontzettend veel lef te hebben. Ik praatte met honderden mensen die het gelukt was hun persoonlijke bergen te beklimmen, ondanks het feit dat ze geplaagd werden door angsten en onzekerheid. En net zoveel mensen zeiden dat ze van nature echt niet energiek, intuïtief of vastbesloten waren. 'Weet je,' vertrouwde een geslaagde theaterregisseur me toe, 'je moet dit niet verder vertellen, maar onder dit kapsel van honderd dollar zitten de hersens van een zenuwachtige sukkel. En toch is het me gelukt om een theatergroep op te richten. Denk daar maar eens over na.'

Nadat ik weer eens een nieuwe stap in mijn carrière had gezet, ging ik nog verder op zoek naar het verschil tussen mensen die alleen maar praten en mensen die in actie komen. Dit keer ging ik werken voor een pr-bureau dat producten een gevestigde naam moest bezorgen en dat mensen in media- en bedrijfssterren moest omtoveren. Eerst had ik de successen van mensen opgetekend en nu ging ik mensen helpen die successen waar te maken. Ik zat in de business van mensen meetrekken, klanten stap voor stap door strategieën leiden om zichzelf en hun producten als leiders op hun gebied in de markt te plaatsen. En door de aanjager van die dromenmachine te worden, kon ik de laatste stukjes in elkaar passen van een puzzel waar ik jarenlang op had zitten turen.

Je eigen regenboog kleuren

Toen ik het antwoord had op de vraag hoe je je doelen kunt bereiken ondanks alles wat op je pad komt, wilde ik niets liever dan weer voor in de auto gaan zitten om mijn moeder te vertellen wat ik geleerd had. Maar daar was het helaas te laat voor. In plaats daarvan werd ik een erkende coach.

Tegenwoordig help ik mijn cliënten om hun aspiraties duidelijk te krijgen en praktische strategieën te zoeken om te strijden tegen de omstandigheden en de twijfels die hen ervan weerhouden om hun doelen te bereiken. Toen ik dit boek begon te schrijven, had ik al met duizenden mensen gewerkt: individueel, in bedrijfsteams, in workshops en op conferenties. Tijdens al die jaren dat ik mensen van alle leeftijden en van allerlei achtergronden hun ambities heb horen uitwerken, ontdekte ik dat we uiteindelijk allemaal hetzelfde zoeken: een impuls.

Ieder mens heeft zo zijn eigen specifieke doelen, maar de wens om een doorgaande beweging daarnaartoe te ervaren, is universeel. Simpel gezegd: stilstaan wordt uiteindelijk vervelend, zowel op persoonlijk als op professioneel gebied. En wat nog erger is: we raken opgejaagd door het ongemakkelijke gevoel dat, terwijl andere mensen interessante verhalen over hun leven creëren, we zelf geen verhaal kunnen vertellen dat ons enthousiast maakt.

Veel mensen staan stil of draaien rondjes, wat in feite op hetzelfde neerkomt. Dat doen ze niet omdat ze dat nou zo leuk vinden, maar omdat ze niet zo goed weten hoe ze de levensechte hindernissen moeten nemen die het pad naar hun doel versperren. Wanneer ik workshops leid, begin ik vaak met de deelnemers te vragen of ze ooit een aannemelijke reden hebben gehad om te stoppen met het najagen van hun ambitie. En ja hoor: altijd knikt iedereen instemmend.

Natuurlijk zijn er onvermijdelijk enorme hindernissen die tussen ons en ons geweldige idee staan. En het is volledig begrijpelijk dat wanneer we een bijzonder intimiderende barricade tegenkomen, we ons verslagen op onze uitgangspositie terugtrekken. Maar degenen die het klaarspelen om met succes hun doel te bereiken, trekken zich niet terug. In plaats daarvan doorbreken ze al probleemoplossend iedere muur die ze tegenkomen. En toch kan ik op grond van jaren van onderzoek bevestigen dat de meeste mensen die erdoorheen breken niet meer zelfvertrouwen, geld, kennis of tijd hebben dan wie dan ook. Hoe doen ze dat toch? Ze weten hoe ze hun regenboog moeten kleuren. Dat is het enige wat de doeners van de dromers onderscheidt.

Je regenboog kleuren? Wat is dat dan? Als het regent en de zon erdoorheen schijnt, kun je een regenboog zien. Jouw eigen regenboog staat symbool voor alles wat jij in jouw leven belangrijk vindt en wat jij in jouw leven wilt bereiken. Als je met jezelf een afspraak hebt gemaakt dat je die doelen gaat bereiken ondanks tegenslagen, kleur je je eigen regenboog.

Wanneer je zo'n deal sluit, is er geen weg terug. Je voelt je verplicht om op een of andere manier alle hordes te nemen die je in de weg staan. Natuurlijk kun je die overeenkomst met jezelf breken en je leven laten bepalen door de omstandigheden, maar daar betaal je dan wel een prijs voor in de vorm van teleurstelling en frustratie. In dat opzicht is vasthouden aan de afspraak met jezelf de minst pijnlijke optie, hoeveel gedoe en hoofdpijn je ook moet trotseren om je eraan te houden. In mijn geval zou het minder hartverscheurend zijn geweest om maar wat theateropleidingen in een al vrij druk schema te proppen, met ideeën voor reizen te komen die vervolgens werden afgewezen of mezelf naar de finish van een opleiding voor creatief schrijven te sleuren dan mezelf keer op keer maar weer in de steek te laten.

Mensen die hun eigen regenboog kleuren, lopen dezelfde hindernisbaan om hun gewenste einddoel te halen als ieder ander. Het verschil is dat ze niet accepteren dat er een probleem bestaat dat groter is dan het pact dat ze met zichzelf hebben gesloten. En iedereen kan zijn eigen regenboog leren kleuren. Het is gewoon een kwestie van je houden aan de deal tussen wie je bent en wie je wilt zijn.

Hoe je dit boek kunt gebruiken

In dit boek zul je ontdekken hoe mensen denken die aan zichzelf hebben beloofd dat ze hun ambities zullen waarmaken, wat er ook gebeurt. Je zult horen wat ze tegen zichzelf zeggen om door te kunnen zetten wanneer ze al die reële dilemma's en twijfels tegenkomen die zovelen van ons ervan weerhouden om onze regenboog te kleuren. Je zult praktische, beproefde strategieën en oefeningen leren waarmee je jouw deal met jezelf kunt ontwikkelen en versterken.

De weg naar goede bedoelingen is geplaveid met het woordje 'maar'. Wie heeft er niet ooit eens gezegd: 'Ik wil wel doorzetten, maar... ik heb niet genoeg tijd, geld, energie, kennis, geduld, lef, hartstocht, hulp, vertrouwen, enzovoort enzovoort'? Ieder hoofdstuk uit dit boek behandelt zo'n 'maar' die vaak de weg naar de prestaties blokkeert. Je zult ontdekken wat mensen die hun eigen regenboog kleuren, doen om langs de betreffende hindernis te komen.

Jouw hindernissen zullen veranderen terwijl je doorgaat met het bereiken van je ambitie. Misschien ben je lekker op weg na een flinke tegenslag waarbij je bepaalde strategieën hebt gebruikt om je ongeduld te overwinnen, om daarna bij de volgende hoek weer oog in oog te staan met je faalangst. Kies die hoofdstukken en oefeningen uit die passen bij de verschillende stadia van je reis. Maar zorg er wel voor dat je de eerste vier hoofdstukken leest, want daarin leg ik uit hoe je je regenboog kleurt en help ik je te bepalen of jouw idee wel bij jou past. Ieder hoofdstuk in het boek eindigt met een samenvatting, een snel geheugensteuntje voor de tactieken die presteerders gebruiken om ervoor te zorgen dat ze niet terugkeren op hun pad. Ook staan overal in het boek 'notities voor jezelf'. Dit zijn handige tips zodat je beter om kunt gaan met critici die luidruchtig langs de zijlijn staan te roepen. Ze proberen je voor je eigen bestwil over te halen om ermee te stoppen en weg te rennen wanneer er een hindernis op je pad komt. Je zult sceptische vrienden, negatieve familieleden of cynische collega's leren herkennen tussen de mensen die je zeggen dat je realistisch, verstandig en voorzichtig moet zijn. Maar de verwijtende stem die het hardst schreeuwt, is misschien wel die van je eigen innerlijke criticus. Gebruik daarom de 'notities voor jezelf' als een knop om negatieve geluiden uit te zetten.

Je eigen regenboog kleuren werkt echt: het neemt je mee van twijfel naar actie. En dat kan ik bewijzen ook. Ik heb namelijk al honderden cliënten de ideeën en strategieën die ik in dit boek uitleg, zien toepassen. Eerst waren ze onzeker en besluiteloos, maar daarna boekten ze resultaten. En net als mijn cliënten heb zelfs ik geleerd om mijn persoonlijke belangen en aspiraties niet meer naar de kelder te verbannen.

Had ik de dolle draaitol van het leven van mijn moeder en mij stil kunnen zetten door mijn eigen regenboog te kleuren? Ik ben ervan overtuigd dat dat had gekund. Een ambitie is niet beter dan de belofte die je doet om deze te vervullen. Het zou ons een hoop teleurstelling en benzinekosten hebben gescheeld als we toen hadden geweten dat het niet de hindernissen waren die mijn moeder ervan weerhielden om haar ambities te vervullen, maar het feit dat ze zichzelf niet had beloofd om dat te doen.

Ik hoop dat je een deal met jezelf sluit om je eigen regenboog te kleuren, en je ideeën en aspiraties waar te maken. Zodra je dat doet, zul je merken dat je verder komt, en ondertussen interessante verhalen creëert waar je veel aan zult hebben. Dan hoef je geen 'maar' meer te zeggen.

1

Ja, maar hoe kleur je je eigen regenboog?

Je eigen regenboog kleuren is een keuze die zich in eerste instantie presenteert als een flinke hoofdpijn en potentiele tijdverspilling. Het is dus niet echt een optie die zichzelf goed verkoopt. Als je voor een bepaald doel gaat, zet je namelijk je vertrouwen en je inspanningen op het spel. En als je ervoor kiest het niet te doen, maakt dat niemand wat uit. Mensen zullen het niet eens merken. Je kunt ervan uitgaan dat er niet achter je rug iemand druk 'sukkel' staat te gebaren wanneer je een kamer binnenkomt. Natuurlijk zal er ook niemand opspringen om je enthousiast de hand te schudden, maar je zult zo nu en dan wel voor bijeenkomsten en etentjes gevraagd worden.

Dat is nou het treurige van het hele verhaal. Het ergste wat er kan gebeuren met mensen die hun eigen regenboog niet kleuren, is namelijk: niets. Het leven gaat gewoon door. Er gebeurt niet zoveel. Net zoals het tegenovergestelde van liefde niet haat maar onverschilligheid is, is het tegenovergestelde van succes niet mislukking maar status-quo. En dat is ook best. Behalve dan dat voor de ambitieuzen onder ons 'best' een scheldwoord is.

En ik zal je vertellen wat er nog meer allemaal 'best' is. De meesten van ons hebben het idee dat ze hun regenboog al gekleurd hébben. En vervolgens raken we gefrustreerd omdat we toch niet hebben bereikt wat we wilden bereiken. Dat komt doordat we ons eenvoudige probleem niet accepteren: onze eigen regenboog kleuren. Terwijl we alle redenen afvinken waarom we onze doelen niet bereiken, komt het gewoon nooit bij ons op om onze regenboog te gaan kleuren. En waarom zouden we ook? We maken toch onze opdrachten af? We halen onze targets toch? We leveren onze verslagen in, plannen onze vakanties en ruimen onze spullen toch netjes op? Oké, misschien is dat laatste wel een beetje overdreven, maar veel mensen hebben in ieder geval op een bepaald punt in hun verleden een verzameling IKEA-meubels in elkaar gezet. Wat zegt er nu meer over onze vastberadenheid dan dat?

Net zoals we allemaal denken dat we beter kunnen autorijden dan we in feite doen, denken de meeste mensen dat ze beter zijn in het kleuren van hun eigen regenboog dan ze in werkelijkheid zijn. Dat komt doordat we niet zo goed weten wat 'onze eigen regenboog kleuren' nu echt is. 'Je eigen regenboog kleuren' is namelijk niet hetzelfde als 'commitment'. Je zou zelfs kunnen zeggen dat, vergeleken met je eigen regenboog kleuren, commitment nog een fluitje van een cent is.

Commitment versus je eigen regenboog kleuren

Leg commitment en je eigen regenboog kleuren eens onder een microscoop en dan zul je een belangrijk verschil zien. Commitment is zelfdiscipline, terwijl je eigen regenboog kleuren meer een mentaliteit is. Bij commitment krijg je een handleiding. Als je een kast in elkaar wilt zetten, moet je de instructies op de plaatjes volgen. Als je wilt afvallen, moet je je aan een dieet en een oefeningenprogramma houden. Als je een berg wilt beklimmen, moet je een trainingsprogramma volgen. Als je een huis wilt kopen, zul je moeten sparen. Als je een boek wilt schrijven, volg je een schrijfschema. Commitment vraagt om een ijzeren wilskracht, maar levert vervolgens ook een voorspelbaar resultaat op. Je weet wat je krijgt als je commitment hebt en je aan je plan houdt.

Commitment is een wegenkaart met goed aangegeven wegen waarmee je naar je bestemming kunt reizen, terwijl je eigen regenboog kleuren eerder op een piratenschatkaart lijkt. Je moet zelf uitzoeken hoe je naar het kruisje tussen de palmbomen komt. Je zult onvermijdelijk probleemoplossend te werk moeten gaan terwijl je je een weg baant door niet in kaart gebracht terrein, met alleen een vaag idee van de richting die je eerst op moet gaan. Eropuit gaan in onbekend gebied vereist een avontuurlijke instelling, omdat je er nooit zeker van kunt zijn wat je om de volgende hoek te wachten staat of hoe je met onverwachte ontwikkelingen moet omgaan. Misschien kom je snel aan in het land van je dromen, maar het kan ook zijn dat het langer duurt dan je verwachtte en dat je meer hindernissen tegenkomt dan je had kunnen voorzien. Toch geeft je eigen regenboog kleuren in ieder geval deze garantie aan degene die nog twijfelt: als je ermee doorgaat, kom je in ieder geval altijd wel op een plek waar je wilt zijn en zul je er veel wijzer door worden.

Je eigen regenboog kleuren en commitment gaan goed samen. Commitment is de romp en je eigen regenboog kleuren zijn de benen van je idee.

Stel dat je besluit een boek te schrijven over elfjes in IJsland. Je hebt commitment nodig om driehonderd bladzijden te produceren over dat onzichtbare volkje. Als je je streng aan je onderzoeks- en schrijfschema houdt, kun je erop rekenen dat je investering van hard werken een manuscript oplevert. Maar zodra je die driehonderd bladzijden hebt uitgeprint, sta je voor de vraag: 'Wat nu?' Een manuscript dat bij jou in een la ligt, zal je leven niet veranderen. Het zorgt er niet voor dat je boek ook daadwerkelijk wordt uitgegeven en dat de wereld te weten komt dat jij expert bent op het gebied van IJslandse folklore. Als je dat manuscript in de la laat liggen, heb je alleen driehonderd bladzijden die daar een beetje stof liggen te verzamelen.

De enige manier om die bladzijden tot een boek te binden met jouw naam op de rug, is door je eigen regenboog te kleuren. En dat betekent dat je diep ademhaalt en tijd, geld en zelfs je ego op het spel zet om dat boek naar iedere agent en misschien daarna nog eens naar iedere uitgever van het land te sturen. Je kunt van tevoren niet weten wat het resultaat van je inspanningen zal zijn en dat is zenuwslopend. Als je vindt dat een boek schrijven al lastig is, bedenk dan maar dat het de wereld insturen, waar het mogelijk door iedereen in de uitgeverswereld zal worden afgewezen, lijkt op een wortelkanaalbehandeling waarbij al je tanden en kiezen aan de beurt komen.

Je eigen regenboog kleuren is het enige wat dromers van doeners onderscheidt. Als je continu afwijzingen in je brievenbus krijgt, word je alleen maar op de been gehouden door je eigen regenboog te kleuren. Dan ga je iets anders proberen waarmee je geen ervaring hebt: uitgeven in eigen beheer. Als je die route kiest, moet je op onbekend terrein verkennen hoe je zelf je boek kunt promoten en distribueren. Uiteindelijk kun je alleen door je eigen regenboog te kleuren je boek laten uitgeven, dat op je cv zetten en je voor eeuwig aan iemand voorstellen door te zeggen: 'Misschien hebt u mijn boek weleens gezien.'

In het beste geval gebeurt er dit: je manuscript wordt gepubliceerd of je geeft het in eigen beheer uit en daarmee lanceer je je carrière als auteur. In het ergste geval gebeurt er dit: je kunt je boek vermelden om je te onderscheiden van de concurrentie, wanneer je een potentiële klant of werkgever, of een blind date tegenkomt. Hoe dan ook: als je je eigen regenboog hebt gekleurd, zal dat nieuwe mogelijkheden voor je hebben gecreëerd. En je zult een beter gevoel hebben over jezelf dan wanneer je je ongelezen manuscript alleen maar in een doos in de kelder had opgeborgen.

Je kunt je eigen regenboog kleuren zien als een vrije val. Daarmee vergeleken is commitment een bungeejump. Natuurlijk, als je gaat bungeejumpen zul je je ook mentaal moeten voorbereiden en jezelf moed moeten inspreken om de afgrond in te durven springen. Maar laten we niet vergeten dat je van de brug af gaat met een tuig dat goed om je middel vastzit. Je kunt van tevoren zelfs bekijken hoe de sprong zal verlopen en hoeveel keer je heen en weer zult veren voordat je weer de brug opgehesen wordt. Als je je eigen regenboog kleurt, spring je uit een vliegtuig met het oog op een bepaalde landingsplaats, maar weet je nooit of een plotselinge windvlaag je totaal uit de richting blaast en je op een waslijn achter een boerderij laat bungelen, kilometers van je doel vandaan. Daar moet je misschien zien uit te zoeken hoe je jezelf uit de knoop kunt halen. En je moet onverwacht een paar kilometer lopen of iemand zien over te halen om je een lift met de tractor te geven.

Wat zo typisch is aan je eigen regenboog kleuren, is dat je nooit kunt weten hoe je pad zal lopen en dat je daarom de sprong zult moeten wagen. En zoals de volgende hoofdstukken zullen laten zien, kun je zo'n gok vaak op verschillende manieren van tevoren uittesten. Maar gelukkig kunnen mensen die hun eigen regenboog kleuren je aan strategieën helpen om iedere test goed af te leggen en daarnaast verhelderende inzichten voor jouw pad bieden. Zodra je begint, zul je merken dat er in ieder geval één voordeel is: je hebt er geen geluk voor nodig.

Je hebt geen geluk nodig om je eigen regenboog te kleuren (hoewel een beetje geluk altijd handig is)

De toneelschrijver Tennessee Williams heeft ooit gezegd: 'Geluk hebben is geloven dat je geluk hebt.' Wanneer je denkt dat het geluk je toelacht, sta je jezelf toe risico's te nemen. Uiteindelijk zal er dan wel een risico zijn dat ook iets oplevert. Het is gewoon een kwestie van gokken. Je kunt duizenden dollars betalen om aan een conferentie in het buitenland mee te doen en daar dan nog niet een interessant contact opdoen of een potentiële echtgenoot ontmoeten. Maar hoe meer van die evenementen je bijwoont, hoe meer je je netwerk uitbreidt. Wanneer je dan eindelijk de persoon ontmoet die je helpt je doel te bereiken, is het niet geluk dat jullie bij elkaar heeft gebracht, maar de serie risico's die je hebt genomen.

Mijn cliënt Adam vond dat geluk hebben niet hetzelfde was als risico's nemen: hij vond dat geluk meer leek op in een drukke winkelstraat de perfecte parkeerplek vinden, iets waar je helemaal geen invloed op hebt. En hij geloofde dat je dat nodig had om succes te hebben. Dus toen Adam zijn accountantsbureau niet kon laten groeien, ondanks het feit dat hij genoeg commitment had en capabel was, concludeerde hij dat hij gewoon 'pech' had gehad. Hij legde uit dat hoewel zijn huidige cliënten hem trouw genoeg waren, ze hem geen extra werk of andere klanten opleverden. Hij concludeerde dat ze gewoon niet het soort mensen waren die met visitekaartjes strooiden. En degenen die extra werk hadden dat hij had kunnen doen, hadden al anderen ingehuurd om het te doen.

'Ik heb echt veel talent voor wat ik doe,' had Adam tijdens onze eerste ontmoeting gezegd. 'Ik doe mijn werk uitzonderlijk goed en mijn prijzen zijn zeer concurrerend. Je zou dus denken dat de telefoon roodgloeiend staat. Maar dat is niet zo.'

'Wat is je plan om je eigen regenboog te gaan kleuren?' vroeg ik.

'Ik wil mijn eigen regenboog kleuren door met veel commitment eerst een geweldige opdracht af te leveren. Na die opdracht móét dan nog wel een opdracht volgen. Ik heb mezelf immers bewezen, ik heb laten zien dat ik talent heb. Dat zou goed genoeg moeten zijn,' zei Adam.

'Maar ja, helaas zijn er op die manier een heleboel getalenteerde mensen die nu ergens vakken staan te vullen,' merkte ik op.

Adam haalde zijn schouders op. 'Ja, maar heel veel getalenteerde mensen hebben gewoon geen geluk.'

Of ze dénken dat ze geen geluk hebben.

Wat Adam betreft: hij vond het vervelend om zijn klanten om meer opdrachten te vragen of te vragen of ze hem bij anderen wilden aanbevelen. Hij wilde heel graag zijn inkomsten verhogen en was doodsbenauwd dat zijn dringende behoefte aan werk zichtbaar zou zijn. En dus maakte hij zichzelf wijs dat als hij zich gewoon zou richten op goed werk afleveren, de zaken vanzelf beter zouden gaan lopen. Waar zijn benadering op neerkwam, was dat hij zijn leven in handen van het lot legde. Dat is niet je eigen regenboog kleuren, dat is het beste ervan hopen.

Vaak denken we dat als we een taak goed vervullen, de beloning vanzelf wel komt. Tja, was het maar zo. Als het leven zo in elkaar zat, zou iedereen met een goede website superrijk zijn. Veel mensen die ik gesproken heb, hebben gigantische hoeveelheden tijd besteed aan een indrukwekkende website of webfeature om hun bedrijf een impuls te geven. Ze zijn maanden bezig geweest met teksten schrijven, zich druk maken over afbeeldingen en menu's, en de navigatie uitstippelen. In de tijd die het hun kostte om hun site af te ronden, hadden ze een huis van twee verdiepingen kunnen verbouwen. En wanneer ze dan eindelijk klaar zijn, zinken ze weg in een flinke post-websitedepressie, omdat hun website nu wel prachtig uitgedost is, maar niemand het ziet.

Soms zitten we onszelf het ergst in de weg. We willen allemaal de beroemde uitspraak uit de film *Field of Dreams* geloven: 'Ga het maar bouwen, dan komen ze vanzelf wel.' Het is een mooi idee dat erg wijs klinkt, maar het is nou niet echt een ondernemingsplan. En toch geloven we erin, dus wanneer er geen mens komt opdagen nadat we iets gebouwd hebben, halen we treurig onze schouders op en zeggen we tegen onszelf dat het wel zal komen doordat ze liever ergens anders naartoe gingen. We hebben het idee dat iedereen het geweldig naar zijn zin heeft op een ander feestje, terwijl wij in ons eentje feest moeten vieren. Ons enthousiasme voor het project koelt af als een schaal onaangeraakte gehaktballen. Maar de ware reden dat mensen niet en masse bij ons op de stoep staan, is dat we niet naar buiten zijn gestapt om hen naar ons toe te sleuren. Een minder poëtisch, maar veel bruikbaarder motto is daarom: 'Als je het gebouwd hebt, moet je het zo inrichten dat ze wel komen.'

Als je je eigen regenboog niet kleurt, kun je het ondernemingsplan opzetten, de kantoorruimte huren, visitekaartjes laten drukken, de meest recente apparatuur aanschaffen, een fantastische website ontwerpen en nog steeds failliet gaan. Je kunt vergadering na vergadering beleggen om te praten over plannen voor verbeteringen op het werk en merken dat er nooit iets verandert. Je kunt maandenlang op zoek gaan naar een woningruil met iemand in Italië en nooit voet op Italiaanse bodem zetten.

Adam had een grens bereikt. En daarom nam hij een risico. Hij gooide al zijn veronderstellingen het raam uit en volgde een stoutmoedig plan van aanpak waarvoor hij veel assertiever moest zijn in het zoeken naar nieuwe opdrachten (en waarbij hij zich erg ongemakkelijk voelde). Hij begon met steviger onderhandelen. Hij nam een gok en investeerde wat van zijn spaargeld in advertenties. Hij nam een partner in de arm. Toen die relatie na een jaar weer eindigde, huurde hij iemand in die programmeervaardigheden had, waarmee Adam zijn diensten kon uitbreiden op manieren die hij zelf nooit had kunnen verzinnen. Uiteindelijk ontwikkelde hij een populair softwareprogramma voor een nichemarkt.

Adam zou nooit in zijn huidige situatie zijn beland als hij het niet had aangedurfd om zich op een pad te wagen waar hij nog nooit had gelopen, zonder enig idee van wat hem bij de volgende bocht te wachten stond. Elke keer dat hij weer een hindernis tegenkwam, moest hij probleemoplossend te werk gaan, en meestal was er daarvoor geen andere manier dan vallen en opstaan. Maar als hij had gewacht tot het geluk dingen voor hem voor elkaar zou boksen, zat hij nu waarschijnlijk nog steeds te wachten.

Waar het allemaal op neerkomt, is dat je je eigen regenboog moet kleuren om alles voor elkaar te krijgen. Stel je eens voor dat je idee een gloednieuwe sportfiets is. Je bewondert hem, poetst hem op, sleutelt eraan en draait de wielen steeds maar weer rond. Maar als je ergens wilt komen, zul je erop moeten gaan zitten en gaan trappen. Je eigen regenboog kleuren is de rit die een deel van jou en de fiets tot leven brengt. Tijdens die rit ga je misschien een paar keer onderuit, heb je een lekke band, moet je flink trappen als je wind tegen hebt, vind je het misschien eng als je heel hard een steile brug afgaat, knal je misschien tegen een paar hindernissen op en moet je wel eens omrijden. Maar er zijn twee dingen waar je zeker van kunt zijn. Het eerste is dat je altijd wel ergens komt waar je naartoe wilt. En het tweede is dat terwijl je trapt, er momenten zullen zijn dat je het gevoel hebt dat je vliegt.

Samenvatting

- Het ergste wat je kan overkomen als je niet doorzet, is niets. En dat is het dan. Er gebeurt gewoon niets. Het leven gaat door. Maar mensen met ambitie zullen hun eigen regenboog moeten kleuren om iets te laten gebeuren.
- Je eigen regenboog kleuren is niet zomaar een to-do-lijstje. Het is een avontuurlijke manier van denken. Het is de mentaliteit die je nodig hebt om een bestemming te bereiken wanneer je niet zeker weet hoe je van hier naar daar komt.
- Commitment is een essentieel onderdeel van een plan, maar het brengt je alleen nog maar naar het startpunt. En om te komen waar je wilt komen, kun je het je niet veroorloven om op geluk te rekenen. Je moet bereid zijn om vooruit te blijven gaan, zelfs als je geen idee hebt wat je na de volgende bocht te wachten staat.
- Je kunt nooit precies weten hoe je reis zich zal ontvouwen, en onderweg zou je best eens een paar omleidingen kunnen tegenkomen. Toch kun je er zeker van zijn dat, als je je eigen regenboog kleurt, je ergens zult komen.

2

Ja, maar ik geloof niet in mezelf

Je eigen regenboog kleuren zou je kunnen beschouwen als een weg die je besluit in te slaan, zonder helemaal zeker te weten wat je na de volgende bocht te wachten staat. Wanneer je daar zo aan het begin van de weg staat, zonder dat je het eind kunt zien, maak je je misschien opeens wel zorgen dat je een enorme vergissing begaat. Wat gebeurt er als je niet komt waar je naartoe wilt? Wat als je geweldige idee je nu eens een benauwd hokje vlak bij de uitgang oplevert, waar je wordt omringd door elleboogwerkers en hielenlikkers? Opeens denk je aan de waarschuwing van die goeie ouwe oom Jan: 'Neem nou maar liever het zekere voor het onzekere.' Je vond altijd dat hij ziekelijk bang was voor risico's, maar nu begin je te twijfelen of zijn benadering toch niet verstandiger is. 'Laat ik eens eerlijk zijn,' zeg je tegen jezelf, 'waarom geef ik deze ambitie niet op en ga ik niet gewoon doen wat ik altijd heb gedaan? Zo erg was het toch allemaal niet?'

Je kunt er natuurlijk voor kiezen je ambitie maar op te geven en veilig bij het oude vertrouwde te blijven, maar je kunt oom Jan ook negeren en gewoon beginnen met lopen. Wat heb je nodig om je een duwtje in de rug te geven? Twee dingen: in jezelf geloven en daarnaast nog veel meer in jezelf geloven.

Je weet natuurlijk allang dat, als je succes wilt hebben, je in jezelf zult moeten geloven. We weten allemaal dat zelfvertrouwen ons macht geeft. Daarom staan velen van ons in de veilige omgeving van de badkamer voor de spiegel onszelf van die fenomenale peptalks te geven. Wie heeft er nou nooit eens tegen zijn spiegelbeeld gezegd: 'Wat ben ik toch goed!' Toch is het één ding om daar met je tandenborstel te staan zwaaien en je heel wat te voelen, maar het is totaal iets anders om de deur open te doen, de echte wereld in te gaan en zelfverzekerd over obstakels heen te stappen om aan iedereen je talent te laten zien. Het soort zelfvertrouwen dat bestand is tegen sceptici en de valstrikken die ons achter de badkamerdeur te wachten staan, is gebaseerd op wel iets meer dan alleen een knipoog naar de spiegel. Het is gebaseerd op in jezelf geloven.

Om zelfvertrouwen te hebben, moet je dus allereerst echt in jezelf geloven. Om dit punt te illustreren: in jezelf geloven is het paard dat je wagen trekt, de aarde waarin je je zaadjes plant, de eiwitten die je spieren opbouwen. De metaforen zijn onuitputtelijk, maar ze roepen allemaal dezelfde vraag op: hoe kun je dit onwrikbare geloof in jezelf bereiken?

Om daar een antwoord op te krijgen, heb ik de experts geraadpleegd. Ik vroeg het aan priesters, rabbijnen, zenmeesters, boeddhistische leraren, filosofen en voor de volledigheid nog aan een aantal mediums. Helaas kon niet één van hen me een twaalfstappenprogramma bieden waarmee je in jezelf gaat geloven en je eigen lot kunt beïnvloeden. Het beste wat ze konden doen, was uitleggen wat geloven in jezelf is en vooral wat het niet is. Dit is wat de wijzen zeggen over wat in jezelf geloven niet is:

In jezelf geloven is niet hetzelfde als wensdenken

Je kunt een lot op je voorhoofd plakken en drie keer per dag de lotnummers opdreunen, maar daarmee win je nog niet de hoofdprijs. Stop nou maar met duimen. Gewoon heel graag willen dat iets waar is, zorgt er echt niet voor dat het ook gebeurt. Helaas, helaas.

In jezelf geloven gaat niet over stug doorduwen

Als je bij etentjes geen woord durft uit te brengen en gevatte antwoorden je altijd alleen maar 's nachts te binnen schieten, hoef je er niet op te rekenen dat je ooit Paul de Leeuw gaat opvolgen. Als je een baan op het oog hebt waarvoor je een rechtenstudie moet hebben afgerond en je denkt dat een *pleit* iets is waar je op de bank lekker warm van wordt, zeg je baan dan nog maar even niet op.

In jezelf geloven is niet hetzelfde als hopen op goddelijke interventie

Ga niet zitten patiencen op de computer of de Eiffeltoren van luciferhoutjes bouwen terwijl je op een teken van God wacht. Voor mensen die altijd vol verwachting hun e-mails checken en voicemail afluisteren, is dit wel de bruutste klap van allemaal.

En nu zal ik je vertellen wat geloven in jezelf *wel* is:

In jezelf geloven is vertrouwen op realistische mogelijkheden

Dat betekent dat je goede aanleiding hebt om te geloven dat je doel de moeite waard is en dat je het kunt bereiken. Natuurlijk kun je in dit stadium nog niet alle nodige kennis hebben en moet je misschien een aantal vaardigheden aanleren, maar in je hart voel je dat je je ambitie zult kunnen bereiken. Je weet dat het haalbaar en mogelijk is. Het ligt in je macht om het te laten gebeuren.

In jezelf geloven is erop vertrouwen dat je doet wat je moet doen

Het staat vast dat er uiteindelijk – wat er ook gebeurt – iets uit je overtuigingen en handelingen zal volgen wat de moeite waard is. Dat geeft je het gevoel dat deze ambitie verwezenlijken het beste is wat je kunt doen voor de persoon die jij bent en de persoon die je wilt zijn.

Wanneer je in jezelf gelooft, heb je geen absoluut bewijs nodig van wat er zal gebeuren en heb je ook niet de goedkeuring van anderen nodig. Het vertrouwen dat je de kracht geeft om door te zetten is niet gebaseerd op zekerheid, of zelfs maar op hoop. Mensen die hun eigen regenboog kleuren, zeggen dat ze op gang worden gehouden door het onwrikbare gevoel dat ze doen wat ze moeten doen en dat ze zichzelf daardoor op een bepaalde manier meer waarderen. Ze zeggen dat het frustrerend is om allerlei obstakels tegen te komen, maar dat ze een beter gevoel over zichzelf hebben wanneer ze proberen om de obstakels heen te manoeuvreren dan wanneer ze het op zouden geven. In jezelf geloven lijkt daarom sterk op persoonlijke vervulling.

We hebben vrijwel nooit de luxe dat we zeker weten wat het tastbare resultaat van onze inspanningen zal zijn. Maar, nog afgezien van de financiële of andere beloning, we kunnen erop vertrouwen dat onze pogingen om dat idee tot leven te wekken ons bestaan zinvoller en interessanter zullen maken. We kunnen enthousiast zijn over het idee dat we ons op nieuw terrein gaan begeven. We kunnen beseffen dat wat er ook gebeurt, we onszelf zoveel meer zullen waarderen omdat we ons doel najagen. Sommige ideeën zijn gewoon de moeite waard om door te zetten omdat we onszelf daarmee trouw zijn. Je eigen regenboog kleuren is de deal die je sluit met jezelf om jezelf recht te doen.

Geloven in jezelf is het DNA van je eigen regenboog kleuren. Wanneer je een diepgeworteld gevoel hebt dat je doet wat goed voor je is door je doel te gaan bereiken, kun je een onstuitbare kracht gaan voelen. Daarbij is het belangrijk dat je overtuiging oprecht uit je hart komt. Met andere woorden: terwijl we in het dagelijks leven vaak met verve doen alsof – zoals hysterisch lachen om de totaal niet-grappige grap van een vriend – gaat dat je bij in jezelf geloven niet lukken. Je kunt jezelf namelijk niet laten geloven dat je bepaalde doelen wilt bereiken wanneer het je diep van binnen eigenlijk helemaal niets kan schelen. Je kunt niet tegen jezelf liegen en net doen of je het interessant vindt om de stappen te zetten die je nodig hebt om je doel te bereiken, terwijl je stiekem hoopt dat het bewuste project in rook zal opgaan.

Geloof in jezelf kun je niet faken, omdat in jezelf geloven energie geeft en een authentiek gevoel is. Als je een interesse alleen maar najaagt omdat het de gemakkelijkste weg is, of omdat het iets lijkt te zijn wat je zou moeten doen, zul je het zonder de kracht van in jezelf geloven moeten stellen. Dan zul je niet het gevoel hebben dat dit precies is wat goed is voor jou. En zonder dat gevoel is het al lastig om over een molshoop, laat staan over een berg te klimmen die je de weg verspert. Je wilt je niet aan een belofte houden die je nooit hebt willen doen.

Notitie voor jezelf

Misschien zijn er wel mensen die je vertellen dat ze jou beter kennen dan jij jezelf kent. Dat is niet zo. Collega's zullen je misschien pushen om een opdracht aan te nemen omdat ze 'weten' dat je het prettig vindt om wat extra geld te verdienen. Vrienden zullen misschien proberen je ervan te weerhouden aan een bepaalde cursus mee te doen omdat ze 'weten' dat je daar veel te gestrest van raakt. Mensen hebben altijd wel een bepaalde mening over je. Ze hebben overtuigingen over wat jij wilt of voelt, maar jij bent de enige die kan weten wat jou nou echt enthousiast of totaal gestrest maakt. Kijk altijd uit voor de woorden 'zou moeten'. Die leiden vaak tot loze acties. En loze acties worden zo genoemd omdat ze eigenlijk niets voor ons betekenen.

Je geloof in jezelf op de proef stellen

Om vast te stellen of je wel echt in jezelf gelooft, hebben de rabbijnen en andere spirituele leermeesters die ik heb geraadpleegd, me aangeraden om je geloof aan de ultieme test te onderwerpen. Stel jezelf deze vraag: 'Heb ik een gegronde reden voor mijn geloof in mezelf?' Ik vond het wel raar dat dit de eindexamenvraag was. Het leek net alsof deze wijzen verwachtten dat mensen van tevoren het bewijs zouden leveren dat hun ambitie succes zou hebben. Maar mijn wijze raadslieden corrigeerden me. Ze legden uit dat in jezelf geloven gaat over de relatie die je met jezelf hebt. En iedere goede relatie is gebaseerd op vertrouwen en zelfvertrouwen. In religieuze termen gaat geloven over de relatie die je met jouw god hebt. Je vertrouwt op je geloof, je hebt vertrouwen in de waarde van je geloof. In regenboogtermen gaat geloof over je relatie met jezelf. Je hebt er vertrouwen in dat je doet wat goed voor je is en je vertrouwt op je vermogen om te doen wat belangrijk voor je is. De vraag: 'Heb je een gegronde reden voor je geloof in jezelf?' vraagt je te onderzoeken wat belangrijk voor je is. Doe je recht aan jezelf door je doel na te jagen?

Als je doel niet staat voor de waarden of ideeën die voor jou betekenis hebben, zou het weleens zo kunnen zijn dat je niet beschikt over het vertrouwen en het zelfvertrouwen dat je nodig hebt om dat doel te behalen. Wat is de vonk die jou door dik en dun laat vlammen? Is dat de overtuiging dat je iets doet wat de moeite waard is? Zo niet, dan word je gedreven door een of andere behoefte. Dat kan de behoefte aan erkenning of aan geld zijn.

Het probleem met behoeftes is dat het net is alsof je te veel parfum op hebt. We moeten onszelf blijven besproeien met onoprecht optimisme, onechte belangstelling en enthousiasme om de geur van onze wanhoop te maskeren. En dan nog zullen we niemand overtuigen. We hebben bewondering voor mensen die in zichzelf geloven. En we rennen zo hard mogelijk weg van mensen die behoefte hebben aan erkenning, of geld.

De overdaad aan talentenshows op televisie maakt dit goed duidelijk. Tijdens de auditiefase is het maar al te gemakkelijk om de mededingers aan te wijzen die niet geloven in wat ze doen. En zoals Simon Cowell zo pijnlijk duidelijk heeft gemaakt in *American Idol*: die mensen verdoen onze tijd. In jezelf geloven maakt indruk, maar loze acties laten ons koud.

Vraag het maar aan iedereen die ooit een of ander doel heeft bereikt. Ze zullen je allemaal hetzelfde vertellen: je moet het echt willen. Je moet het dus niet zozeer nodig hebben, maar willen. En je wilt het wanneer het idee dat je er voor gaat op dit moment niet voelt alsof het moet of eng is, maar spannend en haalbaar. Je vindt het spannend om te zien wat er zal gebeuren. Wanneer je dat gevoel hebt, geloof je in jezelf. En wanneer je in jezelf gelooft, heb je alle reden om erop te vertrouwen dat je de kracht zult hebben om je eigen regenboog te kleuren.

Samenvatting

- In jezelf geloven is het DNA van je eigen regenboog kleuren. In jezelf geloven gaat over de relatie die je met jezelf hebt en net als iedere andere goede relatie moet deze gebaseerd zijn op vertrouwen en zelfvertrouwen.
- Je moet erop vertrouwen dat het de moeite waard is om te proberen je doel te bereiken en dat het is wat *jij* moet doen, al was het alleen maar omdat je jezelf meer zult waarderen als je het hebt geprobeerd.
- Je moet erop kunnen vertrouwen dat je je doel kunt halen, zelfs als je daarvoor nog wat vaardigheden moet aanleren en wat obstakels moet overwinnen.
- Je hebt geen garantie voor succes nodig om genoeg in jezelf te geloven om je eigen regenboog te kunnen kleuren. Je hoeft alleen maar het gevoel te hebben dat je, door te proberen je doel te bereiken, recht doet aan jezelf.

3

Ja, maar hoe weet ik nou of dit het goede idee is?

Je kunt gerust zeggen dat als het voor ieder van ons zo gemakkelijk zou zijn om zeker te weten dat we doen wat we moeten doen door te proberen een bepaald doel te bereiken, we dat gewoon zouden gaan doen, elkaar onderweg vrolijk op de schouders slaand. We blijven toch niet rustig in de Status-quostraat lopen, alleen maar omdat we het zo heerlijk vinden om alles bij het oude te laten? Nee, de reden dat mensen die hun regenboog niet kleuren op het gebaande pad blijven, is dat ze niet weten of ze wel beter af zullen zijn als ze het gebaande pad verlaten.

Toen Julia voor het eerst bij me kwam, haalde ze een enorme stapel mappen met papieren uit haar tas. Ze liet ze op mijn bureau ploffen en glimlachte tevreden.

'In al deze papieren,' zei Julia enthousiast, 'vind je mijn zoektocht naar mezelf.'

Het was net alsof iemand zojuist de inhoud van een archiefkast op mijn bureau had gekwakt.

Julia, die een leidinggevende functie in de marktonderzoekbranche had, overwoog sinds vijf jaar om haar eigen bureau op te richten. Ze had me opgezocht om haar te helpen uitzoeken of dat wel de juiste stap voor haar was. Aangezien ik zelf niet zo'n ordelijke persoon ben en niet van dossiers archiveren hou, pakte ik Julia's documenten bij elkaar en legde ik ze voorzichtig op haar schoot.

'Eh, kun je misschien even de hoofdlijnen voor me opnoemen?' vroeg ik hoopvol.

Julia bladerde door de tientallen persoonlijkheidsprofielen en tests die ze de afgelopen jaren had ingevuld. Terwijl ze de bladzijden omsloeg, legde ze me testscores en karaktereigenschappen voor die haar zouden moeten helpen besluiten wat ze met haar leven moest beginnen.

Omdat ik vermoedde dat Julia voor het einde van de eeuw nog met een antwoord wilde komen, onderbrak ik haar en vroeg: 'Wat vind je leuk om zoal te doen op een doorsneewerkdag?'

Dit is een fantastisch eenvoudige vraag, die verbazingwekkend effectief is.

Mensen die hun eigen regenboog kleuren, beamen dat deze vraag heel snel en simpel inzicht geeft. Je hoeft niet na te denken over wat je wilt, of wat je denkt dat je wilt. Het vraagt je niet waar je voor jezelf op hoopt, of niet op hoopt. Het werkt als een laserstraal, die de elementen oplicht die je vertellen waar je graag tijd in steekt. Wanneer je deze vraag stelt in de context van of een project voor jou wel of niet de moeite waard is, zul je ontdekken dat de punten die je te binnen schieten, handige richtlijnen zijn.

Julia stelde een lange lijst op van activiteiten die ze leuk vond, waaronder met mensen communiceren, een vragenlijst opstellen voor focusgroepen, data analyseren, enzovoort. Zij vertelde, terwijl ik alles wat ze opnoemde op een whiteboard noteerde.

Vervolgens stelde ik haar een belangrijke vervolgvraag, die niet zo eenvoudig is. Vaak roept deze vraag verwarring en irritatie op. Dat deed hij in ieder geval bij mij toen hij voor het eerst aan mij werd gesteld door een regenboogmeester. En dat gebeurde dus ook bij Julia.

Ik pakte het eerste punt op het whiteboard en stelde de vraag: 'Waarom vind je het dan zo leuk om met mensen te communiceren?'

'Hoezo? Iedereen vindt het toch leuk om te communiceren?' antwoordde Julia ongeduldig. Ik kon zien dat ze overwoog om al haar papieren op te pakken en iemand anders op te bellen. 'We zijn toch sociale dieren?'

Ik overwoog nog heel even om haar te vertellen over de twee zwijgende tafelgenoten tussen wie ik laatst bij een bruiloft zat, maar ik koos ervoor om niet af te dwalen. Ik formuleerde de vraag een beetje anders, zodat ze begreep dat hij bedoeld was om tot haar door te laten dringen waarom ze precies de activiteiten leuk vond die ze leuk vond. 'Wat vind je, in relatie tot je werk, nou precies leuk aan het soort communicatie dat je met mensen hebt?'

'Ik vind het interessant om te ontdekken wat mensen denken en hoe ze tegen hun ervaring met een bepaald product of een bepaalde service aankijken,' zei Julia nadat ze even had nagedacht. 'Dan voel ik me net een detective die probeert te begrijpen wat de klant motiveert. Dat is zo leuk.'

Julia begon enthousiast te worden. Bij iedere activiteit waarvan ze had gezegd dat ze die leuk vond, dacht ze graag over de waarom-vraag na. Door dat te doen, ontdekte ze dat ze heel graag wilde weten hoe het zou zijn om haar eigen bureau op te starten. Ze verlangde ernaar om te zien of ze het voor elkaar zou kunnen krijgen. Als het haar niet zou lukken en ze uiteindelijk toch weer een baan moest zoeken, zou ze nog steeds blij zijn dat ze het geprobeerd had, zei ze.

Je afvragen waarom je leuk vindt wat je dagelijks in je werk doet, is een krachtige manier om direct tot de kern te komen: is een bepaalde ambitie voor jou echt de moeite waard? Het is de beste manier om te kijken of er echt een basis is voor je geloof in je project.

Mijn vriendin Kirsten begon haar carrière als actrice, maar werd uiteindelijk trainer en workshopleider. Nadat ze jarenlang in het theater had gewerkt, hadden we een gesprek over wat ze leuk vond aan acteren en waarom ze dat leuk vond. In die tijd was Kirsten op zoek naar audities, maar daar werd ze erg moe van. Tijdens onze gesprekken besefte ze dat ze veel moeite deed om rollen te vinden, maar dat ze het eigenlijk niet zo interessant vond om iedere avond weer in een andere rol te stappen.

Kirsten werkte in het muziektheatercircuit, maar ze ontdekte dat entertainen om het entertainen niet genoeg voor haar was. Ze wilde op het podium een publiek aanspreken en hen aanzetten tot een nieuwe manier van denken. Ze had het gevoel dat dat niet vaak gebeurde in de wereld waarvoor ze gekozen had. Blijkbaar was zoeken naar rollen in het muziektheater niet de juiste benadering: dat had weinig te maken met haar ware verlangens. Ze putte veel meer energie en vastberadenheid uit haar carrière als workshopleider, waar ze haar overtuigingstalent kon gebruiken om een leerproces te stimuleren.

Je weet dat je doordringt tot de kern van waarom iets belangrijk voor je is, wanneer je eerst een activiteit in detail omschrijft en dan het gevoel beschrijft dat dat oproept. De gemakkelijkste manier om met dat proces te beginnen, is je project tot in de allerkleinste onderdelen te verdelen. Vraag je eerst bij iedere taak af of je die wel aangenaam vindt. Vraag je daarna af waarom je die aangenaam vindt en wat je voelt wanneer je ermee bezig bent. De oefening aan het einde van dit hoofdstuk zal je helpen om dit gesprek met jezelf te voeren.

'Ben ik wel goed genoeg?' is een strikvraag

Je gelooft in jezelf wanneer je erop vertrouwt dat je – door je project door te zetten – de relatie met jezelf versterkt.

Maar geloven in jezelf is ook gebaseerd op vertrouwen dat je je doel kunt bereiken. Je kunt wel tegen jezelf zeggen dat het voor jou veel betekent om je eigen regenboog te kleuren, maar je gaat je natuurlijk ook afvragen of je het wel in je hebt om je plan uit te voeren. Mensen vragen zich vaak af: 'Ben ik er wel goed genoeg voor?' Dat is echter een vraag waar mensen die hun eigen regenboog kleuren je voor waarschuwen. Zij weten dat dat een strikvraag is. Die vraag is berucht, omdat hij al veel projecten een snelle en onnodige dood heeft bezorgd, nog voordat ze op poten werden gezet.

Als we aannemen dat je de juiste kwalificaties hebt en bereid bent om nog wat bij te leren, is de vraag 'Ben ik wel goed genoeg?' betekenisloos. Het antwoord verandert namelijk net zo vaak als het weer. Wanneer je in de ogen van anderen iets indrukwekkends doet, voel je je enorm gekwalificeerd. Je kunt het niet helpen: je vindt jezelf gewoon erg goed. Vervolgens heb je weer een slechte dag. Je krijgt met een klant te maken die zich ergert aan alles wat je zegt, je baas behandelt je alsof je een idioot bent, of je hoort iedereen een wat minder intelligente collega de hemel in prijzen. Opeens weet je niet zo zeker meer of je wel fantastisch bent. Het gevoel dat je competent bent, kan binnen twee seconden omslaan in het idee dat je tekortschiet.

De vraag 'Ben ik wel goed genoeg?' gaat ervan uit dat je jezelf afzet tegen een bepaalde maatstaf. Maar welke maatstaf gebruik je dan? Vergelijkt Julia zich bijvoorbeeld met een expert in marktonderzoek die al twintig jaar meedraait, zes boeken over het onderwerp op zijn naam heeft staan en gastcolleges geeft aan universiteiten? Of vergelijkt ze zichzelf met iemand die minder ervaring heeft dan zij en nog geen glas fris aan een kind kan verkopen?

Er zullen altijd mensen zijn die beter zijn dan jij en ook

mensen die slechter zijn dan jij, maar dat zegt helemaal niets. Mensen die hun eigen regenboog kleuren, weten dat je om succes te behalen niet de beste van de wereld hoeft te zijn in alles wat je doet. Het is niet zo dat in elke branche alleen heel bijzondere, zeer ervaren mensen de opdrachten krijgen en alle andere mensen maar borden moeten gaan wassen in restaurants. De meeste mensen winnen geen prijzen en toch kunnen ze in de behoeften van klanten voorzien en promotie maken, net zoals niet alle beroepsmuzikanten virtuoos zijn en niet alle schrijvers met boeken op hun naam J.K. Rowling heten.

Er zijn veel bruikbaarder vragen om je zelfvertrouwen te versterken: 'Heb ik een bepaalde basishoeveelheid kennis waar ik op kan bouwen? En zo niet, wil ik die dan ontwikkelen?'

Ik zelf heb bijvoorbeeld jaren rondgelopen met het idee om een bedrijf in taarten voor allerlei specifieke gelegenheden te beginnen. Ik vind het namelijk erg leuk om in glanzende kookboeken te neuzen en naar plaatjes van fantastische taarten te kijken. In een moment van suikerzoet optimisme heb ik ooit 125 dollar exclusief btw geïnvesteerd in een professionele garneringsset, met een glazuurspuit en talloze onduidelijke hulpstukken.

Iedere taart die ik ooit heb gemaakt, ziet eruit als een skihelling als ik hem uit de oven haal. Iedere bloem die ik uit mijn garneerspuit heb geperst, ziet eruit alsof hij door een koe herkauwd is. Op de verjaardagstaarten die ik versier, is er na 'Happy Bir' meestal geen ruimte meer over.

Betekent dat dan dat ik mijn idee voor een banketbakkerij aan huis maar moet opgeven? Toen ik die vraag aan mijn man stelde, keek hij scheef opzij naar zijn verjaardagstaart, die eerlijk gezegd wel een kleine krater in het midden had ('die staat symbool voor de onvoorspelbaarheid van het leven,' zei ik maar tegen hem) en hield hij pas op met lachen toen ik een portie ijs naar zijn hoofd had gegooid. 'Vind je dat nou echt een goed idee?' hoorde ik hem mompelen terwijl hij zich afdroogde.

Het is altijd verstandig om een oprechte interesse uit te werken, al was het maar om de volgende twee redenen:

1. De wereld zit niet op een zeurpiet te wachten

Als je een bepaalde interesse opgeeft en ervoor kiest om in een slaapverwekkende sleur te blijven hangen, kun je het gevoel krijgen alsof je in drijfzand wegzinkt. Dat doet je humeur natuurlijk geen goed. Ontevreden blijven mag dan veel gemakkelijker zijn dan iets nieuws proberen, maar je doet je omgeving geen plezier door de weg van de minste weerstand te nemen. Ongelukkige mensen zijn wat dat betreft net steekmuggen. Er zijn er veel te veel van, je wordt gek van hun gezeur en gezoem, en wat nog erger is: ze houden je uit je slaap. Het enige wat de wereld wil doen met een steekmug, of een zeurpiet, is er heel hard op slaan met een opgerolde krant.

2. Interessant werk is beter voor je

Cher heeft het ooit mooi verwoord: 'Ik ben rijk en arm geweest, en rijk is beter. Ik ben jong en oud geweest, en jong is beter.' Als je ooit hebt gewerkt aan iets wat je leuk vindt en aan iets wat je niet leuk vindt, weet je toch dat werk doen dat je leuk vindt, beter is? Iets doen wat je leuk vindt, geeft je namelijk energie. Het maakt echt niet uit wat je doet: zo lang het je plezier geeft, is het de moeite waard om te proberen. Zoals de filosoof-dichter Kahlil Gibran heeft gezegd: 'Alle werk is inhoudsloos, behalve wanneer er liefde aan te pas komt.' Als je je bezighoudt met een project dat je interesseert, ben je een gelukkiger persoon.

Wanneer jou met deze onweerlegbare feiten in gedachten de vraag wordt gesteld 'Is het verstandig om iets na te jagen wat je leuk vindt om te doen?' is er maar één rationeel antwoord mogelijk: 'Ja, natuurlijk!' Mijn man had me wat behulpzamer vragen moeten stellen om te voorkomen dat er banketbakkersroom in zijn haar werd gesmeerd: 'Wat vind je zo leuk aan banketbakker zijn? Wat vind je precies leuk aan die dingen?' Dan had ik kunnen vaststellen of ik echt wel gegronde redenen had om erop te vertrouwen dat ik mijn ambitie uit zou kunnen voeren.

Welk deel van het bakproces vind ik leuk? Het opeten van de taart. Vind ik het leuk om de taart te maken? Mmm, niet zo leuk als de taart opeten. Dat gegeven drong tot me door alsof er een zak meel op mijn hoofd viel, op de dag dat ik voor mijn dochter 48 petitfours moest maken, elk gegarneerd met een letter, om op school mee te trakteren. Toen ik bij nummer twaalf was aangekomen, werd ik al een beetje ongeduldig. Bij nummer negentien was ik de letters er al met mijn vingers op aan het smeren, zodat het wat sneller zou gaan.

Terwijl ik ondertussen onderzocht wat ik nou wel en niet leuk vond aan bakken, stelde ik al snel vast dat ik een belangrijk ingrediënt mis om mijn idee voor een banketbakkerij met taarten voor specifieke gelegenheden te beginnen: in mezelf geloven. Het idee heeft blijkbaar weinig raakvlakken met wat ik zelf belangrijk vind. Ik geloof niet dat het plan veel voor me betekent. En wat betreft mijn vermogen om het project leven in te blazen: dat heb ik ook niet. Ik heb niet de basiskennis om ermee te kunnen beginnen. Dat betekent niet per se dat ik het niet zou kunnen doen, want ik zou ervoor kunnen leren. Maar daar heb ik geen vertrouwen in, omdat ik geen enkele wil of interesse heb om er iets over te leren.

Om kort te gaan, vertrouwen en zelfvertrouwen ontstaan wanneer:

- **je weet wat voor jou werkt**
  Je bent oprecht geïnteresseerd en betrokken bij het werk dat je moet doen voor je project. Om Julia als voorbeeld te nemen: zij wordt gestimuleerd door kennis van marktonderzoeken en de uitdaging van het analyseren van data. Om mij als voorbeeld te nemen: ik koop mijn glazuur in een zakje en ik lees niet eens de ingrediëntenlijst.

- **je weet wat je kunt en je het interessant vindt om die vaardigheid verder te ontwikkelen**
  Julia weet heel goed hoe ze zo'n bureau moet leiden, maar beseft dat ze nog veel moet leren over hoe ze personeel moet aantrekken en managen. Ze is echter gemotiveerd en wil het graag leren. Wat mij betreft: ik weet dat ik me er in een bakklasje druk over zou zitten maken of ik aan het eind van de les ook nog eens de kommen en vormen af moet wassen.

- **je die berg wilt beklimmen, gewoon omdat hij er is**
  Steeds maar weer een klein stapje verder komen lijkt misschien frustrerend en daardoor lijkt er wel geen eind te komen aan dat bergpad, maar het zou nog veel erger zijn om helemaal niet te klimmen. Julia zou in zichzelf teleurgesteld zijn als ze nooit had geprobeerd haar eigen bureau op te zetten. In mijn geval vind ik het prima om te blijven zitten waar ik zit en naar plaatjes te kijken van wat andere mensen in de keuken hebben gepresteerd.

Samenvatting

- Als je begrijpt hoe je dagelijkse activiteiten zich verhouden tot je interesses en je waarden, weet je bijna zeker dat je gaat begrijpen waar jouw geloof in jouw idee vandaan komt.
- De makkelijkste weg om het proces te beginnen is door je project op te breken in de kleinste onderdelen. Stel jezelf eerst de vraag of je iedere taak leuk vindt en daarna waarom. Wat voel je wanneer je met die activiteit bezig bent?
- Ga je niet steeds afvragen of je wel 'goed genoeg' bent om je plan uit te voeren. Als we aannemen dat je de juiste kwalificaties hebt en graag wilt blijven leren, is die vraag betekenisloos. Vragen die je beter kunt stellen om je vertrouwen in je vermogens te versterken, zijn: 'Heb ik een basiskennis waarop ik kan bouwen? En zo niet, vind ik het leuk om die te ontwikkelen?'

Oefening

Een gesprekje over wat belangrijk voor je is

Er zijn een paar belangrijke vragen die je jezelf kunt stellen om duidelijk te maken of je gelooft dat het op dit moment voor jou een goed idee is om je regenboog te kleuren. Het is lastig om met jezelf in debat te gaan, omdat je vaak terugvalt op de gebruikelijke antwoorden. Een van mijn klanten gaf me eens een goed voorbeeld van deze valkuil: 'Waarom zou ik met mezelf gaan zitten praten? Ik weet toch al wat ik denk.'

Er is een wereld van verschil tussen een oppervlakkig antwoord op een vraag die je jezelf stelt en er echt over nadenken. Jezelf het gebruikelijke antwoord geven is net als de automatische piloot inschakelen. Die brengt je naar waar je altijd al heen bent gegaan. Wanneer je echt nadenkt over je antwoord, zet je alle voorprogrammeringen uit.

Om je te helpen een andere, dieper gravende dialoog met jezelf te houden, kun je deze oefening doen: stel je voor dat je ver van huis bent en 's nachts met de trein reist. Er is maar één andere persoon in je coupé, een vreemdeling die erg wijs en sympathiek overkomt. Je weet dat je deze persoon nooit meer zult zien en daardoor voel je je vrij om zo eerlijk te zijn als je maar wilt. Maak de zinnen in dit gesprek met de reiziger af.

Jij: Er is iets waarvan ik mezelf altijd heb voorgehouden dat ik dat graag zou willen doen.
Reiziger: En wat is dat dan?
Jij: Ik heb altijd graag...

Reiziger: Waarom betekent dat zoveel voor jou?
Jij: Tja, ik denk dat dat komt doordat...

Reiziger: En kun je nog een andere reden geven waarom dat zo belangrijk is?
Jij: Diep van binnen wil ik...

Reiziger: Weet je, als je dat idee gaat uitwerken, zul je waarschijnlijk wel tegen een aantal obstakels aanlopen. Wat denk je dat die obstakels zullen zijn?
Jij: Nou, ik verwacht dat...

Reiziger: Is jouw verlangen om dat doel te bereiken groter dan de obstakels die je moet overwinnen om dat te doen?
Jij: ...

Reiziger: En wat voor gevoel zou je over jezelf krijgen als je je aspiraties niet zou doorzetten?
Jij: Ik denk dat ik dan het gevoel zou hebben dat...

Reiziger: Ik denk dat je het wel kunt. Je hoeft alleen maar een deal met jezelf te sluiten dat je het gaat doen. De eerste stap is om je handtekening op de stippellijn te zetten...

....

Je handtekening Datum

4

Ja, maar ik weet niet of mijn idee wel bij mij past

Soms weet je gewoon niet wat je wilt. Je denkt wel dat je het weet, maar je houdt ook de mogelijkheid open dat dat niet klopt. In feite kun je jezelf heel gemakkelijk aanpraten en ook weer uit je hoofd praten wat je wilt doen. Niemand kan beter en sneller jojoën met het woord 'misschien' dan jij.

'Ik denk dat ik dat project wel wil gaan doen, maar misschien ook niet. Misschien kan ik beter iets anders gaan doen. Misschien moet ik maar eens ophouden met tegen mezelf te praten en naar de film gaan.'

Je moet niet denken dat je, omdat je een jojo-expert bent, besluiteloos bent en geen zelfkennis hebt. Je bent niet grillig, je wordt gewoon overspoeld door waarheden. Je merkt dat ieder aspect van het debat dat je met jezelf voert, een zekere kern van waarheid bevat. En terecht: die ene gezaghebbende, allesoverheersende waarheid die je als leidraad aanhoudt, bestaat namelijk niet.

Er bestaat zelfs niet eens een enkele, universeel vaststaande definitie van de waarheid. Ik ben in de loop der jaren een hoofdpijnverwekkende hoeveelheid verschillende interpretaties tegengekomen – door filosofen, wetenschappers, advocaten en schrijvers. Het enige waar de meerderheid van deze zwaargewichtdenkers het min of meer over eens is, is dat de waarheid subjectief is.

Mensen die beweren dat er zoiets bestaat als een objectieve waarheid, verspillen hun energie, vooral wanneer ze proberen filosofen te overtuigen. Alle filosofen zijn het erover eens dat de objectieve waarheid, die gebaseerd is op waarneembare, onbevooroordeelde gegevens, alleen waar is op een specifieke tijd en plaats. Zodra die tijd en plaats veranderen, is alles waarvan we dachten dat het onomstotelijk waar was, dat niet meer.

Zo beweerde tot de zomer van 2006 ieder astronomieboek en iedere natuurkundeleraar dat Pluto een planeet was. Vervolgens werd vastgesteld dat Pluto geen planeet was. Kijk maar eens naar de lijst van prestaties van natuurkundigen die de Nobelprijs hebben gewonnen voor dingen als het ontwerpen van een supergeleider of het uitvoeren van fusies. Dan ontdek je dat de helft van hen geëerd werd omdat ze verder gingen dan wat 'voorheen mogelijk werd geacht'. Als onomstotelijk bewezen feiten zo vaak weer weerlegd worden, is het niet zo vreemd dat we er huiverig voor zijn om onszelf met superlijm aan een zogenaamde waarheid vast te plakken.

Aangezien onze waarheid dus voortdurend verandert, kan het lastig zijn om consequent vol te houden dat een specifiek idee uitwerken het beste is wat we kunnen doen. Filosofen zeggen dat de waarheid alleen gedefinieerd kan worden als perspectief. En perspectieven verschuiven, afhankelijk van waar je je op een bepaalde tijd en plaats bevindt. De ene dag is de waarheid dus dat het voor jou goed is om aan alles lak te hebben en voor je ambitie te gaan, en de volgende dag kijk je er weer heel anders tegenaan.

Veel mensen worstelen met dit dilemma, maar ik betwijfel of er mensen zijn die er meer mee hebben geworsteld dan ik. Als er prijzen zouden zijn voor 's werelds beste twijfelaar, dan zou ik die allemaal in de wacht hebben gesleept. Ik was erg goed in twijfelen. Ik was zo goed in alles vanuit allerlei verschillende invalshoeken bekijken, dat ik me nooit lang aan een perspectief heb kunnen houden.

Ik kan mijn gemoedstoestand gedurende een aantal verschrikkelijke jaren in één woord omschrijven: verscheurd. Ik was overal verscheurd over, zelfs, hoe gek het ook klinkt, over het schrijven van een boek over hoe je je eigen regenboog kleurt. Ik zou wel willen beweren dat het idee voor dit boek een respectabele drie jaar geleden is ontstaan, maar ik moet eerlijk zeggen dat het me al ver voor het begin van dit millennium te binnen was geschoten. Ongeveer twaalf jaar geleden besefte ik voor het eerst dat je eigen regenboog kleuren de missing link is tussen verlangen en resultaat. En op dat moment dacht ik dat ik het leuk zou vinden om over die ontdekking dan ook meteen een boek te schrijven.

Maar was mijn waarheid dan dat ik na werktijd nog tijd wilde besteden aan dit project? Het was zeker zo dat ik in het idee geloofde en dat het me enorm aansprak. Maar was het ook niet zo dat ik eigenlijk al mijn vrije tijd aan mijn gezin wilde besteden? En was het ook niet nog eens zo dat, hoewel ik een boek wilde schrijven over je eigen regenboog kleuren, ik daarnaast artikelen over andere onderwerpen wilde schrijven? Als ik eerlijk was, zou ik dan niet zeggen dat ik in al die mogelijkheden wel iets zag?

Iedere keer dat ik een idee had voor mijn leven, onderwierp ik mezelf meedogenloos aan een kruisverhoor, tot ik mezelf smeekte of ik even naar het toilet mocht. Het was zelfs zo erg dat mijn vaardigheid als zelf-intimideerder me er bijna toe bracht om een carrière in de rechtspraak te overwegen. Maar dat leidde weer tot een volgend kruisverhoor en liet me, zoals gebruikelijk, verscheurd achter.

Gelukkig kun je leren hoe je je regenboog moet kleuren. En dat heb ik geleerd. Mijn onderzoek toonde aan dat de enige manier om mijn twijfelpatroon te beëindigen was om opnieuw naar de waarheid te kijken. Mensen die hun eigen regenboog kleuren, zien de waarheid niet als een steekhoudend perspectief, maar als een bron van positieve energie.

Er zit namelijk waarheid in ieder perspectief. Maar geeft ieder perspectief je ook dezelfde stoot energie? Dat is de vraag die twijfelaars zich moeten stellen.

Het is een vraag die je leven kan veranderen, maar wat doe je wanneer het antwoord je niet een-twee-drie te binnen schiet? Sommige mensen voelen de allerlichtste schommelingen in hun energieniveaus al aan, terwijl andere niet geboren zijn met zo'n interne schaal van Richter. Het interessante is dat het lichaam bijna altijd duidelijke signalen afgeeft wanneer we beslissingen nemen die we blijkbaar niet willen nemen. Een ongewenste handelwijze gaat bijna altijd vergezeld van een of andere vorm van lichamelijke of geestelijke stress. Je biedt op een huis waarvan iedereen zegt dat het prachtig is, maar je voelt je helemaal niet enthousiast, eerder misselijk. Je besluit te stoppen met freelancen en om zekerheid te hebben een baan in loondienst te zoeken, maar wanneer een werkgever je belt met een aanbieding voor een fulltime betrekking, wil je jezelf eigenlijk het liefst van de dichtstbijzijnde brug storten. En zo krijgen we ook enorm veel energie door die grote, spannende beslissingen die zo goed voor ons zijn.

Maar van de meeste dagelijkse beslissingen worden we niet koud of warm. Geeft je lichaam je geen enkele aanwijzing? Stel jezelf dan deze drie vragen om de energie vrij te maken die in iedere keuze schuilt.

1. Waarom wil ik dit idee uitvoeren?

Wanneer je al een tijdje een bepaalde ambitie in je achterhoofd hebt, verschijnt deze vaak in de vorm van een ijsberg. Je denkt en praat over het idee, maar wel oppervlakkig. Je pakt alleen het topje van je idee. Daarom is het belangrijk om dieper te gaan graven en je af te vragen wat er onder dat topje zit. Wat is er met dat idee dat ervoor zorgt dat je er vandaag weer verder mee wilt gaan?

Carlos was een actieve architect die gefrustreerd was omdat hij al heel lang een plan in zijn hoofd had om in deeltijd archeologie te studeren, maar dat steeds niet doorzette. Toen ik hem vroeg waarom hij dat eigenlijk wilde studeren, wist hij niets te vertellen.

'Ik denk omdat ik altijd al heb gezegd dat ik dat wilde doen,' antwoordde Carlos. 'Ik kan geen andere reden bedenken wanneer ik daarover nadenk.'

'Word je enthousiast van het idee dat je avonden achter elkaar in collegezalen zal zitten en huiswerk moet maken?' vroeg ik hem.

'Nee, helemaal niet,' antwoordde Carlos. 'Kijk eens aan,' voegde hij er vrolijk aan toe, 'ik denk dat ik nu wel kan stoppen met mezelf zo op m'n kop zitten.'

2. Zijn er nog andere manieren om te bereiken wat ik wil?

Nadat je hebt vastgesteld waarom je je plan wilt uitvoeren, kun je kijken of er nog andere manieren zijn om jezelf te geven waar je naar op zoek bent. Carlos ontdekte dat er voor hem ook nog andere manieren waren om zich te wijden aan zijn interesse in archeologie dan naar de universiteit teruggaan. Hij kreeg een kick van het idee om aan een door een museum gesponsorde onderzoekstocht deel te nemen of in zijn vakantie als vrijwilliger aan een opgraving mee te werken.

Zelf was ik begonnen met klanten te werken aan en workshops te houden over je eigen regenboog kleuren, maar om een nog groter aantal mensen te helpen hun ambitie waar te maken, zag ik geen andere weg dan een boek erover te schrijven. Dat was de enige manier om me dichter bij mijn eigen professionele doelen te brengen.

3. Welke prijs ga ik daarvoor betalen?

Deze vraag is gebaseerd op het besef dat iedere actie een of andere investering vereist. Dat hoeft niet in geld te zijn, maar in ieder geval wel in tijd, aandacht en energie. Dus wat kost het je om het idee na te jagen en hoe reageert je maag op die kosten? De andere kant van de medaille is: wat kost het je als je je plan niet uitvoert? En hoe reageert je maag daarop?

Carlos' maag deed een duidelijke uitspraak over deze vraag. Hij had er helemaal geen zin in om duizenden dollars en enorm veel tijd te investeren in nog weer een studie. Maar hij vond het niet erg om zijn vakantiegeld te besteden aan een georganiseerde expeditie.

Voor mij was dit ook een fantastische vraag. Door hem te beantwoorden merkte ik dat ik het een vervelend idee vond om mijn werkdagen nog langer te maken, omdat dat zou betekenen dat ik minder tijd had voor mijn dochtertje. Maar tegelijkertijd nam ik het mezelf kwalijk dat ik dit boek uitstelde. Er was maar één oplossing waar ik me niet vervelend bij voelde, en dat was om nog eens goed naar mijn dagschema te kijken: ik wilde ten minste een beetje tijd inruimen voor het schrijven, zelfs als dat betekende dat ik een aantal werkopdrachten moest laten schieten.

Deze specifieke vragen brengen de energie naar boven die in de mogelijkheden besloten ligt. Je zult merken dat je van sommige antwoorden energie krijgt en van andere ontmoedigd of zelfs verveeld raakt. Mensen die hun eigen regenboog kleuren, weten dat het enige wat ze kunnen doen wanneer ze met verschillende invalshoeken worden geconfronteerd, is om de energie te volgen.

Wanneer je jezelf reflectieve vragen stelt – zoals: 'Waarom wil ik dit idee graag uitvoeren?' – stop dan niet bij het eerste antwoord waar je mee komt, maar graaf zo diep als je kunt. Stel na ieder antwoord de vraag: 'Waarom?' Stel dat je besluit dat je een andere carrière wilt gaan opbouwen. Vraag je dan af: 'Om welke tien redenen wil ik dit gaan doen?' Ik push klanten vaak om te komen met elf antwoorden op die ene vraag. Mensen beginnen meestal te worstelen na het zesde antwoord, maar pas als je geen gemakkelijke, voor de hand liggende antwoorden meer hebt, ga je dieper nadenken en kom je tot de kern van de zaak.

Samenvatting

- Meestal wordt de waarheid gedefinieerd als een perspectief dat hout snijdt. Maar perspectieven veranderen, afhankelijk van waar je staat op een bepaald moment en een bepaalde plek.
- Wanneer je overweegt of je een bepaald idee zult uitwerken, word je misschien heen en weer geslingerd tussen perspectieven. Op dat moment kun je alleen maar vooruit als je de waarheid definieert als een bron van positieve energie. Er zit tenslotte waarheid in ieder perspectief, maar geeft ieder perspectief je ook dezelfde stoot energie? Als je niet kunt bepalen welke optie jou het meest oplevert, stel jezelf dan deze drie vragen:
  1. Waarom wil ik dit idee uitvoeren?
  2. Zijn er nog andere manieren om te bereiken wat ik wil?
  3. Welke prijs betaal ik daarvoor?
- Licht je antwoorden uitgebreid toe en dan zul je de energie voelen die binnen de keuze is opgesloten.

Oefening

Hoe zorg ik ervoor dat ik niet steeds heen en weer geslingerd word?

Heen-en-weerslingeraars zijn echt geen sukkels. Integendeel: we hebben een groot talent om dingen vanuit verschillende perspectieven te zien. Maar datzelfde talent kan ons in de weg zitten wanneer we steeds maar weer van onderwerp naar onderwerp springen, en daardoor totaal niet vooruitgaan.

Wanneer je je eindeloos bezighoudt met de vraag: 'Wat is nu echt goed voor mij?' zit er maar één ding op: de vraag veranderen. Vraag jezelf: 'Wat geeft me de meeste energie?'

Om je te helpen bepalen of je energie krijgt door je ambitie te volgen, moet je jezelf deze vijf veelzeggende vragen stellen.

1. Waarom wil ik dit idee uitvoeren? (Vraag je af of het nog steeds belangrijk voor je is om je idee tot leven te wekken.)

2. Zijn er nog andere manieren om te krijgen wat ik wil? (Stel vast of er alternatieve en misschien zelfs betere manieren zijn om dezelfde resultaten te behalen.)

3. Wat is de prijs die ik zal betalen als ik mijn ambitie ga verwezenlijken? (Stel vast hoeveel tijd, geld of energie je erin moet investeren.)

4. Wat is de prijs die ik betaal als ik mijn ambitie niet waarmaak?

5. Wat geeft me een grotere stoot energie: het idee om mijn ambitie te verwezenlijken of het idee om het te laten schieten?

5

Ja, maar wat voor zin heeft het?

Sandra is een scepticus, een doorgewinterde pessimist die jarenlang de kunst van het fronsen en afkeurend brommen heeft geperfectioneerd. Er zijn miljoenen mensen als Sandra, in allerlei maten en soorten, die hun schouders ophalen, fronsen, naar het plafond kijken en hun hoofd schudden bij elk idee waarover we hun vertellen. Net als de innerlijke criticus een gegeven is, zijn ook deze externe ontmoedigers onvermijdelijk. Je kunt gewoon niet aan hen ontsnappen. Reken er maar op dat er altijd minstens één afkeurende pessimist over je schouder meekijkt, op het werk, in je ouderlijk huis, op de sportschool en in je stamkroeg.

Je kunt niet onder zo'n Sandra uit, omdat zodra je de ene pessimistische betweter bent ontvlucht, er weer een ander opstaat om je te vertellen dat je idee gedoemd is te mislukken. Als je maar lang genoeg in de koffiebar in de rij staat, kun je Sandra daar een onschuldig slachtoffer zien uitpikken dat ze ooit vijf minuten op een feestje heeft gesproken.

'Hé,' zegt deze Sandra. 'Het is dinsdagmiddag en je bent niet op je werk. Heb je soms de jackpot gewonnen?' Dat is typisch zo'n poging van Sandra om onrust te zaaien.

'Eh, nou, ik ben nu voor mezelf aan het werk, dus ik deel zelf mijn uren in. Ik ben net begonnen met mijn eigen bedrijf,' antwoordt de andere persoon beleefd.

'O ja? Wat voor bedrijf heb je dan?' vraagt Sandra.

'Een onlinepostorderbedrijf.'

'Aha. Goh, interessant.' Dan volgt een pauze, waarin Sandra snel een enorme interne databank van slecht nieuws doorzoekt om precies het juiste puntje te vinden waarmee ze de zeepbel van die persoon kan doorprikken.

'Weet je, ik heb laatst iets gelezen over onlinepostorderbedrijven,' zegt Sandra dan. De toegenomen opwinding in haar stem is al een aanwijzing dat de andere persoon binnenkort met een vervelend feitje om zijn oren geslagen wordt. 'Blijkbaar is die rage inmiddels overgewaaid.'

En ja hoor, daar komt het. Er komen nog meer onbewezen, zogenaamde feiten aan. 'Ik geloof dat iedereen op een gegeven moment zulk soort bedrijfjes aan het opzetten was, maar die zijn nu allemaal failliet. Als je niet een enorm marketingbudget hebt, denk ik dat het bijna onmogelijk is om te overleven. Doe jij veel aan adverteren?'

'Eh, nou, niet zoveel, nee.'

'O. Tjee, wat jammer.' En dan... komt de grimas, vergezeld van opgetrokken schouders. 'Nou, ik wens je veel succes.' En vervolgens stapt Sandra vooruit, op de barmedewerker af, zeer tevreden dat het haar weer eens is gelukt om een spoor van onheil achter te laten.

Ontmoetingen met mensen als Sandra eindigen altijd op dezelfde manier. Dan staan we daar maar, met een zwak glimlachje op ons gezicht, en vragen we ons voor de zoveelste keer af of onze inspanningen nou echt wel de moeite waard zijn. Op zulke momenten glijden we af naar het domein van de doem.

Iedereen die het ooit moeilijk heeft gevonden zijn eigen regenboog te kleuren, heeft meer dan eens het domein van de doem bezocht. Het is een plek waar de zon nooit schijnt en waar dus nooit een regenboog ontstaat. Daarom is het het domein van de doem. Deze plek heeft een naam en die is Uitzichtloos.

Welkom in Uitzichtloos

Je hebt een project, een idee, een plan en je hebt goede redenen om aan te nemen dat je er iets van kunt maken. Je zou het heerlijk vinden om het te doen. Het idee geeft je een kick, geeft je energie. Je begint het uit te tekenen en een paar ideeën uit te werken. En dan zak je weer in wanneer je opeens een groot bord ziet staan. Daar staat op: WELKOM IN UITZICHTLOOS. En dat is het moment waarop zoveel mensen het bijltje erbij neergooien en hun oude leventje maar weer oppikken.

De wereld heeft al talloze sterren gezien, op ieder mogelijk gebied. Geweldige producers, programmeurs, gamers, acteurs, vernieuwers, ondernemers, televisiemensen, aannemers, uitgevers, verkopers, schrijvers, schilders, timmermannen... er komt geen eind aan die lijst. Wat heb jij dan voor speciaals of origineels te bieden? Er zijn nog wel honderden mensen die al doen wat jij wilt doen en dat doen ze ook nog eens erg goed. Wanneer je even rondkijkt en ziet wat er allemaal al is, kunnen je inspanningen opeens een beetje, of heel erg, zinloos lijken.

'De wereld heeft mij niet nodig,' zou je tegen zo'n Sandra kunnen zeggen, die in dit geval misschien wel je beste vriendin is en die al twintig jaar haar haarstijl, laat staan haar levensstijl, niet heeft veranderd.

'Niemand is onvervangbaar,' zou deze Sandra waarschijnlijk zeggen.

Je neemt nog een slok van je drankje en daalt dan af in een diepe put. Sandra verzucht verveeld: 'Ach, we kunnen niet allemaal grote jongens zijn.'

'En ik ben niet eens een jongen,' kreun je dan. 'Ach, er zijn al zat ontwerpers op de wereld.'

'Daar sla je de spijker op z'n kop,' zal ze al snel zeggen.

'Als je het mij vraagt, denk ik dat je wel gek zou zijn als je zelfs maar zou overwegen er voor te gaan. Verspilling van tijd, geld en energie. Wat heeft dat nou voor zin?'

Mensen die wel hun eigen regenboog kleuren, zullen zeggen dat het om één reden wel zin heeft, en die is: jouw voorliefde.

Het is niet altijd gemakkelijk om onze eigen voorliefdes te rechtvaardigen. Waarom zou een vermoeide 55-jarige advocate hemel en aarde willen bewegen om balletlessen voor volwassenen te gaan volgen? Ze heeft nou niet bepaald kans om aangenomen te worden bij het Nationaal Ballet. Waarom zou een 44-jarige flash-animator besluiten om een cursus beleggen te volgen? Waarom zou een keurige 59-jarige ambtenaar veel geld investeren om zijn liedjes en een videoclip op MySpace te zetten? Als je mensen vraagt om hun persoonlijke voorliefdes onder woorden te brengen, is dat net zoiets als vragen of ze de smaak van vanille even willen omschrijven. Dat kun je gewoon niet weten tot je het zelf proeft. Onze voorliefdes zijn strikt persoonlijk. Ze maken deel uit van wie we zijn. Als we onze voorliefdes en interesses najagen, schudden we onszelf de hand. Ons leven wordt rijker, kleurrijker. En daar gaat het uiteindelijk om.

Wanneer je je eigen regenboog kleurt, doe je ervaringen op die je uit je dagelijkse sleur halen. Je komt mensen tegen die je anders nooit ontmoet zou hebben en je voert nieuwe, heel andere gesprekken. Je daagt jezelf uit om oplossingen te verzinnen wanneer je op hindernissen stuit en je laat het onverwachte toe in je leven. Als dit klinkt als materiaal voor een goed verhaal, dan klopt dat. Ga voor je idee, want dan kun je in ieder geval op een avontuur rekenen.

De enige zin van dingen is de zin die we er zelf aan geven

Wanneer je gaat nadenken over een goede reden om je ambitie door te zetten, moet je naar binnen kijken, niet naar buiten. De enige zin die iets heeft, is de zin die we er zelf aan geven.

De wereld gaat niet zitten wachten tot iemand een nieuw kunstwerk heeft gemaakt, een nieuw bedrijf heeft opgezet of een nieuwe service heeft ontwikkeld. Tenzij je het medicijn voor kanker hebt gevonden of een manier om het milieuprobleem op te lossen, zit niemand met smart te wachten op wat je te bieden hebt. Hopelijk zal wat jij wilt doen wel een positieve bijdrage zijn voor een aantal of veel mensen, maar als je ervoor gekozen hebt om niet meer aan het bestaan van alledag mee te doen en in een afgelegen vissershutje te gaan wonen, draait de wereld ook gewoon door.

Je kunt er zeker van zijn dat wat je ook verzint, dit al in een of andere vorm aangeboden wordt. Maar dat is nog geen reden om het bierviltje, waar je zo enthousiast je concept op hebt uitgewerkt, in stukken te scheuren. Natuurlijk moet je rekening houden met de concurrentie en met de behoeften van de markt. Misschien moet je je idee aanpassen om het aantrekkelijker of werkbaarder te maken. Maar dat zijn geen zaken waar je over hoeft te denken wanneer je kijkt of het over het geheel genomen zin heeft om ermee door te gaan.

Het enige waar je rekening mee moet houden, is wat jouw ambitie voor jou betekent. Begin gemakkelijk door een lijstje te maken van de voordelen die het voor jou persoonlijk zou hebben als je je ambitie verwezenlijkt. Vraag je af: 'Wat heb ik er zelf aan?' Zou je meer greep op je leven krijgen, je met plezieriger activiteiten bezighouden, je creativiteit kwijt kunnen, meer geld verdienen, een nieuwe vaardigheid leren, enzovoort? Denk vervolgens na over wat je hoopt dat je project aan het leven van andere mensen zal bijdragen. Dat hoeft niet wereldschokkend te zijn. Je zou kunnen zeggen dat als jij gelukkiger bent, de mensen om je heen daar in ieder geval al baat bij hebben.

Joe, die HR-professional was, vertelde me dat hij fotograaf wilde worden. Maar hij maakte zich wel zorgen: 'Er zijn al zoveel professionele fotografen. En iedere amateur met een digitale camera vindt zichzelf ook al een professional. Wat heeft het dan voor zin als ik de fotografie in ga? Als ik naar al die mensen kijk, lijkt mijn idee gewoon stom. Ik wil wedden dat jij zelf ook al tien arme fotografen kent.'

Maar dat was niet zo. Ik noemde de fotografen op die ik kende. Ik had een cliënt die zich had gevestigd als specialist in zwart-witportretten van kinderen. Haar reizende tentoonstelling had onlangs in mijn vaste koffiebar gehangen en daar had ze genoeg opdrachten aan overgehouden om voor drie dagen per week een oppas in te kunnen huren. En ik weet nog wel dat een vriendin van mij eens voor een tactloze fotograaf had gezeten die haar had gezegd dat ze haar hoofd omhoog moest houden omdat je anders haar onderkin kon zien. Hem zou ze niemand aanraden. En ik had nog andere fotografen ontmoet toen ik voor tijdschriften en kranten werkte. Maar over het geheel genomen kende ik eigenlijk veel meer kappers, tandartsen en dokters. En schrijvers. En coaches. Van hen kon ik er wel twintig opnoemen.

'Het maakt niet uit hoeveel mensen met hetzelfde bezig zijn,' zei ik dus. 'Ga nou niet op zoek naar iets wat nog niemand doet, want dat vind je toch niet. Als je een goed gevoel hebt over je talent en je fotograaf wilt zijn, wees dan een fotograaf.'

'En dan maar van niks rond zien te komen?'

'Joe, je bent gefrustreerd omdat je een HR-professional bent die heel graag fotograaf zou willen zijn. Draai het nou eens 180 graden om. Wees een fotograaf die een baan heeft als HR-specialist. Denk als een fotograaf, gedraag je als een fotograaf en kijk dan wat er gebeurt.'

Joe en ik gingen brainstormen over hoe hij zijn werk op kantoor zou kunnen tentoonstellen en de medewerkers van het grote bedrijf waar hij werkte, kon laten weten dat hij beschikbaar was voor het nemen van foto's.

'We kunnen een gedetailleerd stappenplan gaan uitwerken,' zei ik tegen Joe, 'maar de eerste stap is toch dat je jezelf toestemming geeft om fotograaf te zijn.'

'En jij denkt dat dat zin heeft?'

'Hoe voelt het om jezelf te beschouwen als een fotograaf, om jezelf fotograaf te noemen?'

'Dat voelt heerlijk. Het voelt alsof ik aan een nieuw leven mag beginnen.'

'Heb je het gevoel dat je foto's kunt nemen die iets betekenen voor jou en voor andere mensen?'

'Dat weet ik wel zeker. Mensen voelen echt iets voor mijn werk.'

'Dan is er een fotograaf geboren die zijn eigen unieke visie en zijn eigen unieke talent heeft. Welkom in de wereld waarin je wilt gaan spelen. Er is altijd wel plaats voor nog eentje.'

Concurrentie hoort nu eenmaal bij het leven. Als er al veel mensen zijn die doen wat jij ook wilt doen, bewijst dat gewoon dat er een markt voor is. En zelfs als je niet het idee hebt dat er ook maar iets is wat jij beter kunt dan anderen, dan weet je in ieder geval zeker dat je ten minste *iets* anders doet.

Als je je eigen regenboog wilt kleuren, is het cruciaal dat je bedenkt dat geen enkele mens precies hetzelfde is als een ander. Dat betekent dat je een unieke bijdrage levert aan wat je te bieden hebt. De diensten of de producten die je wilt verkopen, kunnen dan wel een kloon zijn van iets wat al bestaat, maar de manier waarop je ze aan de markt aanbiedt, zal anders zijn, door het simpele feit dat niemand anders is zoals jij. Het boek dat je wilt schrijven kan al lang in een of andere vorm op de markt zijn, maar jouw manuscript zal het enige zijn wat jou en jouw keuzes weergeeft.

Mensen die hun eigen regenboog kleuren, doen dat om geen andere reden dan dat ze willen zien waar hun persoonlijke voorliefdes hen kunnen brengen. Zoals de legendarische actrice Ethel Barrymore heeft gezegd: 'Dat is alles, meer is er niet.'

Samenvatting

- Kijk niet om je heen om erachter te komen of je project of ambitie zin heeft. Het gaat er namelijk niet om of de wereld op jouw idee zit te wachten, maar of *jij* op jouw idee zit te wachten om je leven interessanter te maken.
- Niets heeft zin, behalve de zin die je er zelf aan geeft. Als het voor jou de moeite waard is, is dat de enige reden om er voor te gaan.
- Het geeft niet dat er nog andere mensen zijn die met succes dezelfde service of hetzelfde product aanbieden dat jij wilt gaan bieden. We leven nou eenmaal in een kopieercultuur, waar goederen en diensten voortdurend gekloond worden. Maar een mens kun je niet klonen. Wat jij te bieden hebt, is jouw individuele uniciteit. Dat is de echte waarde die je toevoegt.

Oefening

Hoe weet je of het zin heeft?

Een sceptische Sandra heeft maar één minuut nodig om jouw idee van tafel te vegen. Nog voordat je klaar bent met je idee te schetsen, heeft Sandra je verteld dat er al zoveel mensen zijn die zich daarmee bezighouden en dat zij dat nog beter hebben gefinancierd ook. En dus lig je 's nachts wakker en worstel je met de vraag: 'Ach, waarom zou ik ook?'

Je zult het antwoord niet op Google vinden. Alles wat je online vindt, zijn lijsten van websites die producten of diensten aanprijzen die op die van jou lijken. Tegenwoordig worden goede ideeën namelijk voortdurend gekloond. Maar terwijl ideeën zelden lang uniek blijven, zullen mensen zelf gelukkig altijd onnavolgbaar blijven. Wat je ook doet, je zult het altijd anders doen dan iemand anders, al was het alleen maar doordat je geen exacte kopie bent van iemand anders.

In ieder geval moet je jezelf niet gaan afvragen of de wereld wel op jouw project zit te wachten, maar of jij je project nodig hebt om je leven interessanter en plezieriger te maken. Om je te helpen een antwoord te vinden zodat je eindelijk 's nachts door kunt slapen, kun je de volgende vragen beantwoorden.

1. In welk opzicht zal je leven verbeteren als je doorgaat met het verwezenlijken van je ambitie?

2. Hoe zul je door je doel te behalen andere mensen direct of indirect kunnen helpen?

3. Wat is het enige wat je anders zou doen dan ieder ander op jouw gebied?

4. Maak deze zin af: het is de moeite waard om mijn eigen regenboog te kleuren, al was het alleen maar omdat...

6

Ja, maar ik heb wel vijf ideeën en die zijn allemaal geweldig

Ach, die arme intelligente, getalenteerde en creatieve mensen die hun eigen regenboog maar niet kunnen kleuren. Ze worden geplaagd door alle keuzes en getergd door alle mogelijkheden die ze hebben. De harde waarheid is dat te veel van het goede een probleem kan zijn. Je kunt namelijk ook té dun zijn. En als het tijd is voor de belastingaanslag, kun je té rijk zijn. Zo kun je ook gebukt gaan onder té veel ideeën. Multitalenten met veel mogelijkheden kunnen de zieligste mensen zijn die je ooit hebt ontmoet. En de meest verlamde.

Op een avond zat ik tijdens een etentje tegenover een dynamisch stel vrienden, Klaartje en Mark. Tussen hen in zat een arme kerel die zijn hoofd sneller heen en weer bewoog dan een tennisbal op Wimbledon, omdat hij van Klaartje naar Mark en weer terug keek terwijl ze het hadden over wat Klaartje met haar leven zou moeten doen.

'O, ik heb toch een fantastische week achter de rug!' zei Klaartje, terwijl ze ondertussen haar broodje in stukken scheurde.

'Wauw! Heb je eindelijk kantoorruimte gevonden dan?' vroeg Mark.

'Nee, dat niet. Maar misschien nog wel iets beters. Een vriend vroeg me of ik wilde meewerken aan een schrijfproject over sociale marketing.'

'Mmm, dus nu ga je weer een boek uitgeven?' Mark klonk nogal sceptisch. De man die tussen hen in zat, keek belangstellend op.

'Nou ja, als ik eenmaal een boek heb uitgegeven, zou ik seminars kunnen houden over hoe je online kunt marketen.'

'En dat wil je gaan doen?' vroeg Mark.

'Tuurlijk. Waarom niet? Ik zou een goede spreker zijn, hoor.'

'Maar vorige week zou je je nog volledig gaan concentreren op het starten van een nieuw bedrijf. En nu ga je opeens een boek schrijven?' riep Mark uit. De man die tussen hen in zat, schudde afkeurend zijn hoofd.

'Tja, dat denk ik wel. Hé, en een voormalige collega die bij een bedrijfsopleiding werkt, zegt dat ze een goed woordje voor me wil doen als ik me aanmeld voor een onderwijsfunctie.'

'Oké, dat klinkt wel goed,' zei Mark. 'Maar hoe zit het dan met...'

'O ja, dat ben ik je nog vergeten te vertellen! Ik kwam laatst een jongen tegen die voor het Shopping Channel werkt, weet je wel? Ik heb hem de weekendtas laten zien die ik heb ontworpen, die met al die geheime compartimentjes. Hij vond hem geweldig. Hij heeft gezegd dat die volgens hem als warme broodjes over de toonbank zou gaan. Ik kan er een fortuin aan verdienen, zegt-ie. Ik zit erover te denken om een bedrijfsplan op te stellen en dan op zoek te gaan naar een investeerder. Wat vind jij?'

'Klinkt interessant,' zei Mark. De man tussen hen in keek twijfelachtig.

'Meen je dat?' vroeg Klaartje.

'Ja, waarom niet?' zei Mark. 'Hé, heb jij ooit nog die tv-producer die je had ontmoet, gebeld over of je wat freelancewerk kunt doen als researcher?'

Op dat punt zei de man tussen hen in dat hij absoluut van plaats wilde wisselen, zodat Klaartje naast Mark kon gaan zitten. Nu ze hun hoofden dichter bij elkaar hadden, kon ik hen niet meer afluisteren. Maar ik wist al lang waar het verhaal van Klaartje heen ging. Nergens heen. Je kunt namelijk wel eeuwig met mogelijkheden blijven spelen.

Wanneer je je eigen regenboog probeert te kleuren, is het vreselijk frustrerend om steeds weer andere verleidelijke mogelijkheden de kop op te zien steken. Het is niet zozeer dat we bang zijn dat ons oorspronkelijke plan een vergissing zal zijn, maar we zijn doodsbenauwd dat die andere mogelijkheden uiteindelijk nog beter blijken te zijn.

Veel mensen die niet zo goed weten hoe ze hun regenboog moeten kleuren, passen in het profiel van de 'maximalist', een term die Barry Schwartz heeft bedacht in zijn boek *De paradox van keuzes*. Maximalisten willen er zeker van zijn dat ze overal echt het beste uit halen, van een spijkerbroek tot echtgenoten tot banen. Ze staan bekend als onvermoeibare shoppers, die worden gedreven door de overtuiging dat als ze maar door blijven zoeken, ze de perfectie wel zullen vinden. Je hoeft niet ver te zoeken om een maximalist te spotten. Het zijn die mensen die voortdurend langs jouw knieën blijven stommelen in de bioscoop, op zoek naar een betere zitplaats. Je kunt hen in de hal van een hotel zien, waar ze hun koffer van kamer naar kamer rollen, vastbesloten om de kamer met de beste matras en het mooiste uitzicht te vinden. Hoewel maximalisten in de ogen van de rest van de wereld idioot kieskeurig overkomen – en je jaren van je leven inlevert als je met een van hen gaat winkelen om schoenen te kopen – zijn ze heus niet onredelijk, in ieder geval niet in hun eigen ogen. Ze zijn niet belachelijk veeleisend, ze zijn gewoon extreem optimistisch. Ze hebben het gevoel dat er iets beters bestaat en ze zijn bang om genoegen te moeten nemen met een beetje minder dan het beste.

De keerzijde is dat dit speciale soort optimisme ontevredenheid en frustratie oplevert, en angst om een stap te doen. Als je geen keuze hébt, hoef je je namelijk niet druk te maken over een keuze die niet perfect is. Te veel keuzes hebben kan daarom heel vervelend zijn. Dat kun je lezen in het onderzoek '*When Choice Is Demotivating*' door Sheena S. Iyengar van Columbia University en Mark R. Lepper van Stanford University. In een delicatessenwinkel stelden zij een proeftafel op met zes potjes exotische jam en in een andere delicatessenwinkel een tafel met wel 24 soorten jam. Wat bleek? Hoe meer keuze mensen hadden, hoe minder jam ze kochten. De verkoop bij de kleinere proeftafel was 27 procent hoger dan die van de grote. Blijkbaar is het gemakkelijker om maar helemaal geen jam te kopen dan je er druk over te maken of je nou kruisbessen-perzik, abrikozen-citroen, kersen-banaan of een van de 21 andere, mogelijk nog lekkerder melanges neemt.

Mensen die getalenteerd en vindingrijk zijn, hebben te maken met eenzelfde soort dilemma. Wanneer je even afstand neemt en eens goed kijkt naar wat je 'zou kunnen' doen, lijken de mogelijkheden opeens overweldigend. Als die creatieve sappen eenmaal beginnen te stromen, komen de ideeën meestal in drommen naar boven borrelen, waardoor het lastig wordt om te beslissen welke je weggooit en welke je uitwerkt.

David, een freelanceschrijver in Hollywood, zocht me ooit op omdat hij verlamd werd door besluiteloosheid. Zou hij nou filmscenario's blijven schrijven of zou hij een pilot schrijven voor een bevriende tv-producer, zou hij een toneelstuk schrijven voor een veelbelovend theatergezelschap dat op zoek was naar nieuw talent, of zou hij voor een reclamebedrijf gaan werken dat hem een baan aanbood? Davids probleem was dat hij niet dacht aan die banen zelf, maar dat hij veel te ver vooruitdacht en steeds keek naar de resultaten die hij ervan verwachtte. Hij vond het fijn om zichzelf te kunnen beschouwen als een succesvolle scenario- of toneelschrijver. Maar aan de andere kant vond hij het ook een prettig idee om het vaste inkomen te hebben dat hoorde bij een hoge functie op een reclamebureau, en rond te lopen in pakken van Hugo Boss.

We worden allemaal weleens meegesleept door beelden van onszelf dat we bij de finish aankomen en de menigte ons toejuicht. Maar vervolgens komt de realiteit weer genadeloos om de hoek kijken. In de werkelijkheid halen we het lint eigenlijk nooit, omdat we dat steeds een paar meter voor ons uit blijven schuiven. Het zou prachtig zijn als David een bekende scenario- of toneelschrijver zou worden en de opdrachten steeds maar in zijn schoot bleven vallen. Maar professioneel succes neemt de voortdurende werkzorgen niet weg. Als je eenmaal hebt gescoord, voel je een nog grotere druk om aan de verwachtingen te voldoen en weer te scoren. Laten we aannemen dat David ervoor kiest om voor het reclamebureau te gaan werken. Hij zou een salaris van zes nullen kunnen verdienen, maar dan zou hij ook de enorme druk voelen om belangrijke klanten te behouden.

Net als de reclame ons kan laten geloven dat een bepaalde auto ons de ultieme vrijheid biedt, denken we dat als we maar voor de juiste kans kiezen, we in een soort utopia belanden. Maar zelfs met een Ferrari kun je nog niet door het spitsverkeer vliegen. En geen enkel soort werk leidt je naar het paradijs, laat staan dat je daar kunt blijven.

Het ligt niet in onze aard om lang te blijven hangen in een toestand van verrukking. Dat komt doordat, of het nou goed of slecht met ons gaat, we een zeer aanpassingsgezinde diersoort zijn. Het nieuwe gaat er weer snel vanaf en binnen de kortste keren gaan we onvermijdelijk terug naar het leven van alledag, met alle gedoe en irritatie die daarbij horen. In een inmiddels beroemd onderzoek werd aan slachtoffers van een ongeluk die verlamd waren geraakt, en aan mensen die de loterij hadden gewonnen, na ongeveer een jaar gevraagd hoe gelukkig ze waren. De winnaars van de loterij bleken zich gemiddeld niet gelukkiger te voelen dan andere mensen. En hoewel de slachtoffers van ongelukken zich wat minder gelukkig voelden dan de meeste mensen, vonden ze zichzelf evengoed nog gelukkig, voornamelijk omdat ze er beter mee om konden gaan dan ze hadden verwacht. Blijkbaar ligt het in de menselijke aard om zich aan te passen aan omstandigheden, of deze nu goed of slecht zijn.

Het goede nieuws voor degenen die proberen te kiezen tussen allerlei even interessante mogelijkheden, is daarom dat het echt niet uitmaakt welke je kiest. Achter iedere deur ligt wel iets van waarde, maar geen enkele keuze leidt tot een volmaakt bestaan. Barry Schwartz' advies in een wereld van overvloedige keuzes is om een persoonlijke standaard van 'goed genoeg' vast te stellen in plaats van het altijd weer ongrijpbare 'beste'. Dat is nou precies wat mensen doen die wél hun regenboog kunnen kleuren.

'Goed genoeg' betekent niet: tweede keus. Het betekent groen licht voor alles wat voldoet aan de criteria die voor jou het minimaal vereiste zijn. Voor David betekende het dat hij ontdekte dat hij zijn tijd graag wilde besteden aan het schrijven van comedy's. De baan bij het reclamebureau voldeed niet aan zijn eisen. De andere opties deden dat wel. Uiteindelijk sprak hij met zichzelf af dat hij een pilot voor een comedyserie zou schrijven. Hij had net zo lief iets geschreven voor een theatergezelschap, maar hij had toch een voorkeur voor de opdracht voor televisie, omdat hij verwachtte dat hij het meeste plezier zou beleven aan ideeën uitwisselen met die bevriende producer.

Gooi de lijst met voor- en nadelen weg

Meestal wordt gedacht dat je een lijst met voor- en nadelen moet schrijven voor iedere ambitie die je hebt. Dat is in theorie wel mooi, maar in de praktijk zijn deze lijsten zo bruikbaar als oude pijnstillers. En pijnstillers zul je zeker nodig hebben om je door deze taak heen te slepen. De meesten van ons hebben geen tijd of geen zin om wekenlang de voors en tegens af te wegen van iedere mogelijkheid die we maar kunnen bedenken. Dus in plaats van nauwkeurig ons lijstje uit te werken, zetten we maar wat aannames bij elkaar die voortkomen uit onze beperkte kennis.

Dat werkt zo: iedere keer dat ik een vriend bel die lesgeeft op een middelbare school, is hij thuis bezig meubels te schuren. In de kolom van voordelen die het heeft om leraar te zijn, schrijf ik daarom op: 'Flink veel vrije tijd; ik kan na school nog wel een aantal kastjes opnieuw schilderen.' Aan de andere kant herinner ik me dat een oude buurman van me ophield met lesgeven omdat hij genoeg had van de politieke spelletjes die bij hem op school werden gespeeld. In de nadelenkolom schrijf ik dus op: 'Ik moet hielenlikken en een jaknikker worden om te kunnen overleven.' Aan het einde van de taak hoef ik dus alleen maar te beslissen of al die vrije middagen opwegen tegen het slijmen bij een egoïstisch schoolhoofd. Omdat ik niet uit dat dilemmaatje kom, ga ik verder en schrijf ik de voor- en nadelen op van mijn andere idee: het opzetten van een eigen bedrijf. En boven aan de kolom met voordelen schrijf ik: 'Geen idioot van een baas. Controle over mijn eigen leven.' Maar ik ken ondernemers die lange uren maken, zeven dagen per week, dus schrijf ik in de kolom met nadelen: 'Geen vrije tijd, geen vakantie. De kastjes worden niet opgeknapt.' Nog twee uur dit doen en dan is de enige beslissing die ik erover kan nemen dat ik geen beslissing kan nemen. In plaats van vooruit te gaan, blijf ik maar rondtollen in een draaimolen van mogelijkheden.

Als je een lijst hebt waarop elke mogelijkheid mogelijk is en aantrekkelijk lijkt, zijn er maar twee manieren om het aan te pakken. De eerste is om een aantal weken uit te trekken om elke afzonderlijke mogelijkheid volledig te onderzoeken. Dat betekent gedegen onderzoek. Als dat niet lukt, is de tweede optie: de mogelijkheid kiezen die goed genoeg is. Gooi die lijst met voor- en nadelen toch weg. Schrijf in plaats daarvan op wat je leuk vindt om te doen en wat je zoal nodig hebt aan inkomen, dagelijks werk, je gezinsleven, vrije tijd en persoonlijke ontwikkeling. Beschouw deze lijst als een streep in het zand: dat wat jij nodig hebt voor kwaliteit van leven. Zet je mogelijkheden af tegen deze lijst. Als alle mogelijkheden aan je criteria beantwoorden, gooi dan een munt op. Het maakt echt niet veel uit waar je voor kiest, want je zult je aanpassen en er het beste van maken. En je zult zeker een paar goede en een paar slechte ervaringen hebben bij alles wat je doet.

Mijn cliënt Gerard keek me aan alsof ik gek was toen ik hem dit vertelde. 'Meen je dat nou?' zei hij. 'Wil je nou echt beweren dat het niet uitmaakt of ik bij dat non-profitontwikkelingsbureau ga werken of blijf zitten waar ik zit?'

'Jij zegt dat ze allebei voldoen aan je minimale vereisten. Nou, dan wordt de vraag dus: krijg je op dit moment in je leven meer energie van het idee van verandering of van continuïteit?'

Gerard haalde zijn schouders op en pakte een muntstuk. 'Kop: ik blijf. Munt: ik ga voor dat non-profitbureau werken,' zei hij.

Het werd munt. 'Geef me eens direct antwoord, zonder erover na te denken,' zei ik tegen hem. 'Wat vind je er nou van dat je voor dat non-profitbureau gaat werken?'

'Het lijkt me erg leuk.' Hij haalde eens diep adem. 'Ik vind het spannend om eens iets nieuws te proberen.' Hij wachtte een paar seconden. 'Maar als ik nou... '

'"Als, als" is van toepassing op iedere keuze die je maakt. Je kunt nooit weten wat de toekomst brengt en dus kan er maar één antwoord zijn: als het uiteindelijk toch niet goed uitpakt, verzin je daar wel weer wat op.'

'Mmm, dat is waar,' zei Gerard. 'Als ik die baan uiteindelijk toch niet leuk vind, kan ik altijd weer op zoek gaan naar een andere.'

Drie maanden later vond Gerard zijn nieuwe baan nog steeds leuk. Hij stelde een voorstel op voor een samenwerkingsprogramma tussen zijn nieuwe organisatie en zijn voormalige bedrijf. 'Eigenlijk alleen maar om daar nog een voet aan de grond te houden,' vertrouwde hij me toe.

Eigenlijk weten we allemaal wel dat het moed vergt om een beslissing te nemen en dat eeuwig blijven twijfelen niet echt gevoelens van bewondering oproept. En daarom staan overlijdensberichten altijd vol met lof voor degenen die het hebben aangedurfd om stoutmoedige acties te ondernemen ongeacht de resultaten, maar prijzen ze nooit de dierbare besluiteloze overledene voor een leven van twijfelen over vele intrigerende ideeën.

Maar laten we voor de volledigheid eens kijken wat er gebeurt wanneer het helemaal fout gaat. Je maakt een keuze en het noodlot bepaalt dat je deurtje drie opent, waar helaas niets achter zit. Dan zou je in ieder geval troost kunnen putten uit het cliché dat verandering tot verandering leidt. Iedere keuze, goed of slecht, zet een kettingreactie in werking die tot interessante resultaten kan leiden. Mensen die hun eigen regenboog kleuren, zouden daaraan toevoegen dat een verkeerde keuze ten minste toch een paar bruikbare inzichten oplevert om in de toekomst betere beslissingen te nemen.

Notitie voor jezelf

Zodra je je op een of andere actie gaat voorbereiden, zul je vast mensen tegenkomen die je ervoor waarschuwen om niet een snelle beslissing te nemen. Dat zijn meestal van die zenuwachtige types die de grootste moeite hebben om uit een menu iets te eten te kiezen, alsof het de laatste maaltijd is die ze ooit zullen nuttigen. Het maakt niet uit dat de ober de kip een goede keuze vindt en de mensen aan het andere tafeltje hen bemoedigend toeknikken, ze blijven zich tijdens de maaltijd afvragen of ze misschien toch niet beter de vis hadden kunnen nemen. Tegen mensen die willen dat je blijft twijfelen tot je een ons weegt, is er maar één ding dat je kunt zeggen: 'De enige verkeerde keuze is geen keuze.'

Mensen die hun eigen regenboog kleuren, zijn er zeker van dat het belangrijkste is dat je stappen neemt om welk waardevol idee dan ook tot leven te wekken, en dat het idee zelf dus niet eens zo belangrijk is. Ideeën zijn net recepten die je het water in de mond doen lopen. Ze zijn allemaal aantrekkelijk als je eraan denkt, maar het enige recept waarmee je je culinaire vaardigheden ontwikkelt en iets hebt om die avond aan tafel over te praten, is het recept dat je daadwerkelijk maakt. En het maakt echt niet uit of dat een curry of een risotto is. Hoe dan ook: als je één idee doorzet, zul je ook weer een ander idee uitwerken. De adrenaline van bezig zijn met iets wat je zou willen doen, kun je alleen voelen als je het ook echt doet. Twijfel je nog? Geef een peuter maar eens een doos met blokken. Dan zie je haar opeens superserieus worden en gaat ze het ene blokje boven op het andere zetten. Iedere keer dat het haar lukt om er weer een blokje bovenop te zetten, is ze supertrots op zichzelf en klapt ze in haar handjes. Wanneer de toren dan klaar is, geeft ze hem, voordat jij je camera hebt kunnen pakken, een lel en ligt het hele torentje in duigen. Het torentje zelf vindt ze namelijk niet interessant, het bouwen ervan wel.

De artiesten met wie ik jarenlang gesprekken heb gehad, zijn net als die peuters, en niet alleen omdat ze ook zo vaak driftbuien hebben. Ze vertonen dezelfde geconcentreerde belangstelling wanneer ze intensief met iets bezig zijn. Ze zeggen dat ze flow voelen en midden in het leven staan wanneer ze hun muziek opnemen, hun film monteren of hun boek schrijven. Ze zijn misschien tevreden over het product wanneer het af is, hoewel ze natuurlijk zelf hun grootste critici zijn, maar in ieder geval geeft het eindresultaat hun lang niet zoveel energie als het maken ervan.

Te veel denken leidt tot verlamming

Je kunt jarenlang in je stoel gaan zitten denken over alles wat je zou kunnen doen. En over vijf jaar zit je er dan nog. Mensen die hun eigen regenboog kleuren, waarschuwen tegen de praktijk van te veel denken. Ze zeggen dat het je voeten in betonblokken verandert. Wat zij doen om hun lijstje van doelen af te vinken, is één optie uit de hele catalogus van mogelijkheden kiezen en daar voor gaan. Een voorstel schrijven, een bedrijfsplan opstellen, je bij een commissie aanmelden, je cv opsturen, terug naar school gaan of een schrijfgroepje opzetten. Je zult hoe dan ook een heleboel problemen tegenkomen, maar in ieder geval zul je bezig zijn met het proces van bouwen. En je zult er veel tevredener en wijzer van worden. En zij die hun regenboog kleuren, kunnen je garanderen dat de ene stap altijd weer tot de andere leidt.

Trevor, een autodidactische beeldend kunstenaar uit Montréal, gaf zijn baan als leidinggevende op om de wereld rond te reizen en aan zijn schilderijen te werken. Hier en daar verkocht hij een schilderij, maar zo nu en dan moest hij toch weer naar huis om achter de bar te staan en daardoor genoeg geld te verdienen om verder te reizen. Op een van zijn reizen kwam hij een vrouw tegen die toevallig iets vertelde over een kunstworkshop waaraan ze had meegedaan toen ze vakantie vierde in een of ander wellnessresort. Toen Trevor weer naar huis ging, schreef hij een pakkend profiel van zichzelf, waarin hij vooral vertelde hoe hij de wereld rondreisde op zoek naar kleur. Hij voegde er een paar foto's van zijn werk bij en stuurde dit pakketje naar ongeveer vijftig wellnessresorts. Hij kreeg een kortlopend contract bij een resort in de bergen en het ene baantje leidde weer tot het andere.

Als je Trevor, toen hij nog op zijn oude werkplek zat te stressen over een presentatie, had verteld dat hij ooit carrière zou maken door schilderworkshops te organiseren in prachtige resorts, zou hij hebben gezegd dat je zijn tarotkaarten met die van iemand anders had verwisseld. Toen Trevor de beslissing nam om zijn leven te veranderen, richtte hij zich niet op wat er uiteindelijk allemaal zou kunnen gebeuren. Hij keek naar zijn mogelijkheden en woog deze af tegen zijn lijst van minimale vereisten voor zijn leven.

Hij had zo zijn portie ups en downs gehad voordat hij een manier vond om te leven van zijn artistieke talent. Vaak had hij gebrek aan geld en vaak was hij eenzaam. En er waren momenten dat hij in de verleiding kwam om zijn oude leventje weer op te pakken. Toch bleef hij vasthouden aan zijn streep in het zand. 'Telkens wanneer ik voor een kruising stond, vroeg ik me af wat ik nu echt wilde doen en het antwoord was altijd: "Ik wil schilderen",' zei Trevor. 'Dat is dus waar ik mijn keuzes op heb gebaseerd. Ik ging niet terug naar de plaats waar ik woonde, omdat ik daar om diverse redenen mijn verfspullen niet tevoorschijn haalde.'

Hoewel Trevor vindingrijk is, vele talenten heeft en een universitaire studie heeft gedaan, lukte het hem toch om zich niet te laten verlammen door alles wat 'zou moeten' in zijn leven. Net als iedereen die zijn eigen regenboog kleurt, bleef hij niet hangen in pogingen om zijn toekomst tot in detail te voorspellen. In plaats daarvan stopte hij zijn concentratie en energie in iets wat hij zelf belangrijk vond. Dat is de enige manier om jezelf te bevrijden. En zo kun je de ene voet voor de andere zetten en iets doen.

Samenvatting

- Wanneer je op een kruispunt van wegen staat en iedere richting wel iets interessants biedt, vergooi dan niet je leven door op het kruispunt te blijven staan en wanhopig te proberen vast te stellen welke weg de beste is. Mensen die hun regenboog kleuren, weten dat 'de beste' niet bestaat.
- Op elke weg heb je 'goed' en 'niet zo goed'. Het maakt niet uit welke weg je uitzoekt. Kies er gewoon een uit en ga op pad. Je zult je niet alleen aanpassen aan het terrein, maar ook op een of andere manier je sporen achterlaten. En de ene stap leidt weer tot een andere. Maar als je niet gaat lopen, zul je ook nergens je voetsporen achterlaten.

Oefening

Een keuze maken

Wanneer je heel veel geweldige ideeën hebt voor wat je allemaal zou kunnen doen, is het veel moeilijker om je op één ervan te concentreren en je te blijven richten op het realiseren van één idee. Bedenk dat je in je leven tijd zult hebben om veel ideeën na te jagen, maar dat je toch ergens moet beginnen.

Welke beslissing je ook neemt, het is beter dan helemaal geen beslissing nemen. Mensen die hun eigen regenboog kleuren, bevestigen dat de inzichten die je haalt uit het uitwerken van één optie uiteindelijk van onschatbare waarde blijken te zijn wanneer je het volgende grote item op je lijst gaat aanpakken.

De volgende oefening is ontworpen om je te helpen beslissen welke keuze op dit moment in je leven de juiste is.

Zet de keuzes waarover je denkt op een lijst.

1. Stel jouw streep in het zand vast. (Wat is voor jou het minimaal vereiste? Wat heb jij absoluut nodig voor jouw kwaliteit van leven?)
2. Met welke keuzes kun je je aan je streep in het zand houden? (Welke keuzes voldoen aan jouw minimumeisen?)
3. Wat zijn drie tot vijf activiteiten die je op een dag zou kunnen doen die je bijzonder interessant vindt?
4. Door welke van de keuzes die je overweegt zou je alle, of de meeste, van die activiteiten kunnen doen?
5. Wat zijn drie tot vijf activiteiten die je in de loop van de dag niet graag doet?
6. Door welke van de keuzes die je overweegt zou je alle, of de meeste, van die activiteiten kunnen vermijden?

7

Ja, maar ik weet niet zeker of dit mijn passie wel is

Ieder zelfhulpboek, iedere coachingshandleiding, iedere vriend die een glaasje wijn te veel opheeft, zegt hetzelfde: weet waar je passie ligt. Volg je passie. Leef volgens je passie. Adem je passie. Wat is dat toch voor obsessie met passie?

Hoeveel mensen ken jij persoonlijk die echt volgens hun passie leven? Puisterige jongelingen die voor het eerst verliefd zijn en golffanaten tellen nu even niet mee. En workaholics ook niet. Die zijn niet zozeer gepassioneerd, eerder geobsedeerd. Dus misschien kun je een handjevol mensen noemen, misschien ook niet.

Feit is dat passie net zo ongrijpbaar is als een ober in een bar op het vliegveld. En toch denken de meesten van ons dat we onmogelijk zonder passie kunnen. De enige reden dat mensen projecten laten vallen is omdat ze na de eerste flirt merken dat het werken eraan hun niet half zoveel opwindt als ze hadden verwacht. Net zoals bij het tegenvallende derde afspraakje bleek de vonk een illusie te zijn.

Ik heb het al honderden mensen horen zeggen: als ze een bezigheid zouden vinden waar ze echt honderd procent passie voor zouden hebben, zouden ze er alles voor laten vallen. Maar ja, ze hebben het ware idee gewoon nog niet gevonden. Zeg dat maar eens tegen iemand die zijn regenboog kleurt. Hij zal je uitlachen omdat je een naïeve romanticus bent.

Betekent dat dat die regenboogkleurders kouwe kikkers zijn? Nee hoor, ze zijn gewoon realistisch. Net als de meeste mensen zijn ze vurig op zoek naar hun ware passie. Ook zij volgen workshops om het doel van hun leven te vinden en ze vinden het spannend om te ontdekken dat ze van Litouws volksdansen of ambachtelijk brood bakken in vervoering raken. Maar het verschil tussen degenen die hun regenboog kleuren en de rest van de wereld is dat mensen die dat doen, niet verwachten dat het openen van een dansschool of een broodbakkerij een wereldschokkende belevenis is. Ze houden er rekening mee dat het heel hard werken is en een hoop gedoe met zich meebrengt.

Het maakt niet uit hoe opgewonden je was toen je aan de bar zat en je nieuwste idee op een bierviltje schetste: je zult evengoed de schrik van de koude douche voelen als je eenmaal aan de details van je plan toekomt. Maar tegenwoordig is passie het echt helemaal. We krijgen te horen dat we er een dagelijkse dosis van nodig hebben om een gelukkig leven te kunnen leiden. Dus denken we dat als we die kick niet 24 uur per dag voelen, we niet goed bezig zijn.

Wat is toch precies die emotie van deze tijd, die je gevoeld moet hebben, en waar kun je die kopen? Daarvoor ging ik op zoek naar de oorspronkelijke betekenis van het woord. Ik ontdekte dat passie afkomstig is van het Latijnse *passio*, een woord dat ontstond in de tweede eeuw na Christus, om het verheven lijden van Jezus Christus aan het kruis aan te duiden. Ik ben gaan koffiedrinken met een jezuïtische priester en vroeg hem wat passie te maken kon hebben met bijvoorbeeld een focusgroep runnen of antitranspiratiekleding produceren voor vrouwen die lijden aan opvliegers. Hij wist het niet zeker en adviseerde me naar de kunstwereld te kijken voor een wat aardser interpretatie van de emotie.

Er zijn veel uitspraken van schrijvers, filmmakers, componisten en schilders over het onderwerp. Maar tot mijn verrassing liggen die niet ver af van de oorspronkelijke betekenis van het woord. Hun boodschap komt hierop neer: passie betekent minstens zo vaak uitzinnigheid als lijden. Net als de volmaakte liefde, die niet bestaat, is passie zowel vluchtige vreugde als sublieme pijn. Het is spectaculair vuurwerk, een explosie van energie en schoonheid die je overweldigt, waarna het net zo snel weer aardedonker wordt.

Verwacht niet dat er altijd passie is

Passie is de tsunami van de gevoelens. Ze raast over je heen, trekt zich weer terug en zorgt ervoor dat je naar adem snakt. Maar een belangrijk kenmerk van passie is dat deze niet lang blijft hangen. En dat is maar goed ook. Als je ooit bent meegesleept door een hartstochtelijke liefdesaffaire of de pech hebt gehad dat je in een vliegtuig veroordeeld bent tot een medepassagier die vreselijk verliefd is en het nergens anders over kan hebben, weet je wel hoe het alles opslokt.

Wanneer je in de greep van passie bent, kun je niet eten, niet slapen, niet nadenken en het nergens anders meer over hebben. Je vindt het in ieder geval moeilijk om te onthouden dat je naar de stomerij moet of nog een tube lijm moet kopen voor het knutselproject van je kind. Uiteindelijk zal, tot grote opluchting van je doodverveelde vrienden, je liefdesaffaire langzaamaan verdwijnen of in iets hanteerbaarders veranderen, zodat je weer door kunt gaan met het dagelijks leven. Zelfs de dichter Byron, die sinds het begin van de achttiende eeuw werd vereerd vanwege zijn heerlijk romantische gevoeligheid, heeft moeten toegeven: ‘Er bestaat net zomin iets als een leven vol passie, als een voortdurende aardbeving of een eeuwigdurende koortsaanval.’

Mensen die hun eigen regenboog niet kunnen kleuren, lijden aan de vloek dat ze hun ‘ware passie’ in twijfel trekken. Je zet een paar stappen in een bepaalde richting en vervolgens maak je je zorgen dat er ergens anders misschien iets is wat voor jou veel bevredigender is om te doen. En al snel kom je op een totaal nieuw idee om mee te spelen, een idee dat meestal bij uitstek niets te maken heeft met jouw ervaringsgebied. De voortgang van je oorspronkelijke plan komt tot een abrupt einde omdat je verliefd bent geworden op je nieuwste idee, dat meestal onontwikkeld en veel te vergezocht is. Ondertussen vliegen de jaren voorbij en is alles wat je ontmoetingen met passie je hebben opgeleverd een prullenbak vol verscheurde bierviltjes.

Juist de aard van passie maakt dat ze niet houdbaar is. Waarom zijn we sinds de opkomst van de zelfontwikkelingsbeweging dan allemaal op een dolle zoektocht naar dat gevoel, dat ook nog eens als een eeuwig vuur van binnen moet blijven branden? Waarschijnlijk is ons voorgehouden dat we een aantal zeer zeldzame uitzonderingen als ons rolmodel moeten zien.

Ik heb tientallen mensen gesproken die daadwerkelijk dag in dag uit een gepassioneerd leven leiden. Ze zijn helemaal verliefd op hun beroep en maken geen onderscheid tussen wat ze doen en wie ze zijn. Dat zijn beroemde balletdansers, Tour de Francewielrenners, componisten van orkestwerken, bergbeklimmers, briljante en gedreven activisten, filantropen en ondernemers. Helemaal volgens hun passie leven ze op een soort achtbaan, waar ze heen en weer schieten tussen mentale of fysieke stress en onvoorstelbare hoogtepunten. Ze zijn altijd vastbesloten om sneller, verder en hoger te gaan bij het volgende ritje. Maar ze geven zelf toe dat die eenkennige concentratie op hun prestaties niet veel tijd of belangstelling voor iets anders overlaat, zoals 's avonds om zes uur thuis zijn voor het eten. Ze zeggen dat ze wel degelijk een prijs betalen voor die intensiteit, maar dat ze zich niet zouden kunnen voorstellen dat ze een ander soort leven zouden leiden.

Dit zijn geen gewone mensen die gewone levens leiden. Het zijn mensen die met een visie geboren zijn en veel wetenschappers geloven dat ze genetisch geprogrammeerd zijn voor een leven van toewijding en fanatisme. We kunnen hen wel bewonderen, maar degenen onder ons die geen extremisten zijn en niet aan slechts één ding kunnen denken, kunnen nu eenmaal niet verwachten dat ze net zo zijn als zij.

De gewone mensen onder ons die hun eigen regenboog kleuren, trappen niet in de valkuil dat ze denken dat hun project hun allesverslindende passie is. Ze eisen niet dat iedere dag een 'wauw'-dag is. Mensen die hun eigen regenboog kleuren, nemen ook niet te pas en te onpas het woord 'passie' in de mond. Ze zullen eerder zeggen dat ze 'zeer geïnteresseerd' of 'geïntrigeerd' zijn door hun project en ze denken dat het 'leuk' zou zijn om het door te zetten. Deze gewone, maar doortastende mensen zullen je vertellen dat het je absoluut kan lukken om een interesse na te jagen terwijl je daarnaast gewoon boodschappen doet, je rekeningen betaalt en zorgt voor je gezin, vrienden en huisdieren.

De heersende opvatting dat je totaal 'gepassioneerd' moet zijn over je idee of je project is dus onrealistisch, om niet te zeggen volledig demotiverend. Wanneer je de lat zo onbereikbaar hoog legt, bereid je je alleen maar voor op een teleurstelling.

De cliënt die maar niet kon kiezen

'Weet je,' biechtte mijn cliënt Ron op, terwijl hij uit het raam van mijn kantoor keek, 'ik weet niet of de leiding hebben over al die sponsorprojecten wel wat voor me is.'

‘En waarom niet?’ vroeg ik hem.

Hij schudde ongeduldig zijn hoofd. ‘Weet ik veel?’

Ron werkte voor de publieksafdeling van een grote fabrikant. Hij stopte al maanden veel energie in het opzetten van een sponsoringdivisie voor zijn bedrijf. Hij had zich enorm verdiept in de verschillende evenementen die zijn bedrijf kon sponsoren en had allerlei nieuwe manieren onderzocht waarop hij de betrokkenheid van zijn bedrijf kon marketen. De CEO had eindelijk Rons voorstel goedgekeurd en nu begon zijn enthousiasme weg te zakken. Ik zag het al aankomen: Rons verliefdheid was over... voor de zoveelste keer.

‘Wil ik nou echt al mijn tijd en energie stoppen in die logistieke nachtmerrie van sponsoring? Je hebt daar zoveel bureaucratie en politieke spelletjes. Weet je, ik zat eraan te denken dat ik liever direct met artiesten zou willen werken.’

‘Bedoel je dat je je bedrijf de artiest zou willen laten sponsoren in plaats van het festival?’

‘Nee, want dat zou ook niet werken. Ik zat te denken dat ik wel een agent of misschien een promotor voor die artiesten zou willen zijn.’

‘En denk je dan dat agenten en promotors niet met logistiek gedoe te maken hebben?’ vroeg ik ongelovig. Blijkbaar was niet iedereen op de hoogte van de lange lijst onmogelijke eisen die Mariah Carey heeft wanneer ze op tournee is.

‘Ik zeg niet dat het makkelijker zou zijn, maar dat ik meer zou voelen voor dat werk, weet je. Ik denk dat ik het leuker zou vinden.’

Tja, ik weet wel dat scepsis geen aantrekkelijke eigenschap is, maar die moest ik toch echt even laten zien. ‘Ron, nog maar twee weken geleden heb je gezegd dat je het heel erg belangrijk vond om eraan bij te dragen dat culturele festivals en evenementen levend werden gehouden door middel van sponsoring.’

Hij sputterde 'maar' en nog eens 'maar', maar hij kon me niet overtuigen.

Als Ron passie als voorwaarde stelde om ergens mee verder te gaan, zou hij erachter komen dat hij, net als zoveel mensen, maar blijft zitten wachten tot hij overspoeld wordt door iets wat zo onweerstaanbaar en prachtig is dat hij gedwongen is om er voor te gaan, wat er ook gebeurt. Dan kon hij lang wachten. En hij zou heel veel valse starts meemaken. Ron zou ontdekken dat hoewel hij niet zo 'gepassioneerd' is over sommige aspecten van sponsoring, hij bepaalde aspecten van het werk van een agent ook niet zo leuk zou vinden.

Zelfs het allerinteressantste beroep is een yin en yang van interessante en minder interessante activiteiten. Mensen die dat betwijfelen, hebben nooit uitgeputte acteurs en musici gesproken op promotietournees langs vele steden, of prestigieuze projectontwikkelaars die zich een weg moeten banen door doodsaaie bestemmingsplannen, of schrijvers die hun uitgevers vervloeken omdat ze een artikel weer opnieuw moeten schrijven.

Moet je het idee van passie dan maar opgeven? Vergelijk het eens met een relatie. Heb je een relatie met een interessante, leuke persoon die de laatste garnaal op het bord voor jou bewaart, of zit je dromerig te fantaseren over iemand die een fascinerende levensstijl, een gigantische bankrekening en een volmaakt lichaam heeft, die je meesleept in een romance als in de film? Sommige mensen zouden zeggen: tut je alleen maar op voor dat vermogende, welgevormde lekkere stuk met die prachtige bruine ogen en anders hoeft het niet. Die mensen blijven een groot deel van hun leven in hun badjassen hangen en komen helemaal nergens. Mensen die hun eigen regenboog kleuren, gaan naar de Chinees, bestellen die garnalen en zorgen voor leuke herinneringen.

Kortom: als je op zoek bent naar passie, moet je stoppen met van idee naar idee hoppen en eens goed naar mij luisteren. Maak je niet druk als je niet iedere keer van enthousiasme barst als je met je idee bezig bent. Niemand maar dan ook niemand voelt die passie permanent. Soms ben je helemaal weg van wat je doet en soms weet je het gewoon even niet meer. Sommige aspecten van je project zijn geweldig en van andere aspecten krijg je hoofdpijn. Een project is net als een mens: het heeft zijn goede en slechte kanten. Niemand en niets is volmaakt.

Je project hoeft niet bijzonder te zijn om de moeite waard te blijven. Als het je over het algemeen genomen stimuleert, als er activiteiten bij komen kijken die je meestal prettig vindt en het je de mogelijkheid biedt om je uit te sloven en ervan te leren, is het voor nu het juiste plan.

Notitie voor jezelf

Het is zo gemakkelijk om een ambitie onderuit te halen en met een enorme lijst redenen aan te komen waarom een idee niet de moeite waard zou zijn. Je wilt de Mount Everest beklimmen? Ach kom nou, doe toch eens iets originelers dan proberen die ouwe hoop puin te beklimmen. Wil je een boek schrijven? Maar de ramsj ligt toch al vol boeken die niemand wil hebben? Steek je energie in zaken die iets opleveren. Je wilt verkoper worden? En je leven vergooien aan klanten werven? Ik dacht het niet. Doe iets waardoor mensen naar jou toe komen. Wil je psycholoog worden? Wat? En de hele dag maar mensen horen zeuren? Ben je helemaal gek geworden? Ga toch iets leuks doen met je leven. Voor veel mensen is het bijna een tweede natuur om als een menselijke botte bijl in het rond te hakken en op zoek te gaan naar scheurtjes in een plan om het een kopje kleiner te maken. De beste manier om die interne en externe botte bijlen tegen te houden is door het eens te zijn met de nadelen die aannemelijk zijn, zonder mee te gaan in de conclusie dat het daardoor toch allemaal geen zin heeft. Het is waar: steeds meer mensen proberen de Mount Everest te beklimmen. Blijkbaar is het een fantastische ervaring, want waarom zouden mensen anders een hoop geld betalen om het te proberen? Natuurlijk, de meeste schrijvers verdienen niets aan het schrijven, dus halen ze er blijkbaar iets anders uit. En het valt niet te ontkennen dat psychologen te maken hebben met mensen die problemen hebben. Maar blijkbaar is het stimulerend om hen te helpen een nieuw perspectief te krijgen.

Als je je in voor- en tegenspoed vasthoudt aan je huidige project dan zal er iets wonderlijks gebeuren: je zult er juist meer gehecht aan raken. Denk aan een project als aan een legpuzzel van duizend stukjes. Het is spannend om eraan te beginnen, maar soms ontzettend saai om ermee door te gaan. En toch: iedere keer dat je twee stukjes aan elkaar past, krijg je een vonkje dat je ertoe aanzet om door te gaan tot het af is. Hoe meer je doet, hoe meer je wilt doen. Als je volhoudt, wakkert dat je interesse aan. Een professor in de middeleeuwse geschiedenis heeft me ooit verteld dat ze haar studie heeft volgehouden doordat ze wist dat hoe meer ze leerde over haar onderwerp, hoe meer haar interesse en haar liefde voor het vak zouden groeien.

Meestal is het zo dat zodra passiezoekers besluiten dat ze voor een bepaald project gaan, ze achtervolgd worden door de vraag: 'Is dit nou alles?' Er is geen reden tot paniek: als je je vastlegt voor een bepaald project, betekent dat nog niet dat je nooit meer iets anders zult doen in je leven. Mensen die hun eigen regenboog kleuren, zullen je vertellen dat dit maar een van de vele principes is die je van de start naar de finish zullen voeren. Je kunt er zeker van zijn dat hoe meer ervaring je hebt in het doorzetten van een plan, hoe meer plannen je de komende jaren zult ontwikkelen en ook zult afronden.

Jouw project is een interessant hoofdstuk van je levensverhaal. Ga ermee aan de slag en je kunt verder met het volgende hoofdstuk.

Samenvatting

- Laat je niet ontmoedigen door een gebrek aan voortdurende passie. Passie is een golf van intense emotie, niet iets wat je op iedere doordeweekse dag voelt. Niemand is 24 uur per dag in de ban van een idee dat hij ontwikkelt en waar hij mee worstelt.
- Vervang het woord 'passie' eens door het woord 'interesse' en zet gewoon je plan door.
- Je zult merken dat, wanneer je iets stug volhoudt, met alle geluk en tegenslagen die op je pad komen, je liefde ervoor alleen maar groeit en niet afneemt.

8

Ja, maar ik heb geen idee hoe ik nu verder moet gaan

Ik heb zo'n vermoeden dat je op dit moment alles maar een beetje op goed geluk doet. Nou, gefeliciteerd! Daar is lef voor nodig. Je bent met iets nieuws bezig, met iets wat je nog nooit eerder hebt gedaan, dus kun je uiteraard niet zeker weten of je het allemaal, of ten minste iets, goed doet. Het zou leuk zijn als je dat wel wist, maar nu dat niet zo is: wat kun je anders doen dan voorlopig maar net doen alsof, tot je het wel weet?

'*Fake it until you make it*' oftewel 'Doen alsof tot je weet hoe het moet' is een vaak gehoord motto van mensen die hun eigen regenboog kleuren. Het is een goed idee om die uitspraak boven je bureau te hangen en op je badkamerspiegel te plakken. Het zou weleens het enige navigatiemiddel kunnen zijn dat je hebt. Uiteraard haalt dat het niet bij ervaring, maar als je nog niet zoveel ervaring hebt, is net doen alsof het op één na beste idee. Maar is dat wel een goed idee? Werkt het wel echt? Bijna altijd werkt het niet zo snel als je zou willen. Maar dan kun je troost putten uit dat andere handige gezegde: 'Beter laat dan nooit.'

Iedereen die een nieuwe weg inslaat, komt vroeg of laat op een punt waarop hij niet weet welke stap hij nu moet zetten. Veel mensen raken dan zo verlamd dat ze helemaal niet meer verder kunnen. Mensen die hun eigen regenboog kleuren, nemen dan gewoon maar een doortastende beslissing. Er is altijd maar één manier om door te gaan wanneer je niet zo goed weet hoe je verder moet, en dat is je ogen dichtdoen en springen.

Neem nou Jack. Die had een paar jaar op de marketingafdeling van een verfhandel gewerkt toen hij besloot dat hij liever kleurenconsulent wilde worden. In die tijd wist niemand wat dat was en eerlijk gezegd wist Jack het zelf ook niet. Hij bedacht opeens dat hij mensen thuis wilde bezoeken en hen tegen betaling wilde adviseren over welke kleur verf ze in hun woonkamer zouden gebruiken. Hij zag het heel duidelijk voor zich: mensen geven een hoop geld uit aan zeegroene verf en twaalf uur later merken ze tot hun schrik dat ze hun kamer in een blik spinazie à la crème hebben veranderd. Ze zouden zichzelf een hoop geld en stress kunnen besparen als iemand hen had gewaarschuwd dat zeegroen absoluut niet bij die driezitsbank past.

Helaas wees Jacks cv niet echt in de richting van 'kleurenexpert'. De enige ervaring waar hij mee uit de voeten kon, was de bijbaan als verkoopassistent in een luxewarenhuis tijdens zijn studie. De manager van de herenkleding gaf hem altijd complimentjes over hoe hij met mensen omging en over zijn gevoel voor mode. Jack kon kerels die binnenstapten met hun ceintuurs onder hun oksels omtoveren in hippe, modieuze mannen die precies de goede kleurencombinaties droegen.

Om een lang verhaal kort te maken: Jacks werkgevers keken naar zijn aanbevelingen en zeiden tegen hem dat ze het niet wilden riskeren hem een functie als vaste kleurenconsulent te geven. Als kleine tegemoetkoming zeiden ze dat Jack wel zelf met zo'n onderneming aan de slag mocht gaan, maar dan na werktijd. En net als de andere aannemers, zou hij dan standaard tien procent korting kunnen krijgen voor verf die hij voor zijn klanten zou kopen. Zonder de steun van de verfhandel had Jack geen idee hoe hij met zijn adviesbedrijfje moest beginnen. Dus deed hij maar het eerste wat iedereen doet: hij liet visitekaartjes maken. Het kostte hem weken om ze te ontwerpen. Toen hij uiteindelijk zijn doos met kaartjes bij de drukker had opgehaald, raakte hij in paniek. Wat nu?

Mensen die een nieuw idee hebben, maar geen routekaart voor hoe ze verder moeten, steken hun energie vaak in boeken lezen en het internet afsurfen op zoek naar informatie. Zo gaan er maanden en maanden van uitgebreid onderzoek voorbij. Tja, op een bepaald punt zul je toch de veilige omgeving van je computerhoekje moeten verlaten en je idee de wereld in brengen.

Jack had zijn onderzoek grondig gedaan. Hij kon je alles vertellen over complementaire kleuren en de effecten op kleuren van zonlicht of tl-buizen en kunstlicht van zestig watt. Nadat hij zich door alle boeken over kleur had gewerkt, ging hij verder met de zelfhulpboeken voor ondernemers. Uiteindelijk vond hij een model voor een ondernemingsplan en werkte dat uit. Toen dat klaar was, raakte hij weer in paniek.

Toen deed hij zijn ogen dicht en waagde de sprong. Met het hart in de keel dwong hij zichzelf om vijf binnenhuisarchitecten te bellen. In zijn ondernemingsplan had hij namelijk binnenhuisarchitecten als mogelijke bondgenoten aangemerkt. Jack deed me voor hoe die gesprekjes meestal verliepen.

'Hallo. Ik wil u graag laten weten dat ik een dienst aanbied waarmee ik u en uw klanten kan helpen,' begon hij.

'O ja, wat verkoop je dan?' blafte de binnenhuisarchitect.

'Ik ben kleurenconsulent en ik...'

'O, je bent kapper? Ik denk dat je het verkeerde nummer hebt gebeld.'

'Nee, ik help mensen uit te zoeken wat de beste kleur voor hun huis is, zodat die past bij hun meubilair, hun persoonlijkheid en...'

'Hé, ik ben binnenhuisarchitect. Dat is onderdeel van mijn werk. Waarom zou ik in hemelsnaam mensen naar jou toe sturen?'

'Ik begrijp het al. Nou, in ieder geval bedankt voor de moeite.'

'En wat heb je geleerd van die oefening?' vroeg ik Jack.

'Dat ik niet hoef te verwachten dat ik mijn klanten via binnenhuisarchitecten krijg. En dat ik duidelijk moet maken dat ik niet aan highlights doe.'

Vervolgens richtte Jack zich op meubelzaken, omdat hij die ook in zijn ondernemingsplan had opgenomen. Jack vroeg de bedrijfsleider van zo'n zaak of hij zijn visitekaartjes mocht achterlaten, maar meestal kreeg hij dan nul op het rekest. Blijkbaar vroegen klanten nooit om kleurconsulenten en vonden bedrijfsleiders ook niet dat het hun taak was om hen daarop te wijzen.

Uiteindelijk heeft Jack met vallen en opstaan toch een bedrijf opgebouwd. Het ging rollen door mond-tot-mondreclame, nadat hij vrienden van vrienden had geholpen kleuren te kiezen voor hun nieuwe huis. Gesterkt door zijn portfolio van voor-en-na-foto's en brieven van tevreden klanten, benaderde hij opnieuw de verfhandel waarvoor hij werkte. Deze keer vonden ze het goed dat hij zijn visitekaartjes bij de kassa's van alle filialen in de stad legde. Het was nog niet echt de steun in de rug waar Jack op gehoopt had, maar het was beter dan niets. Dus stopte Jack maar veel tijd in gesprekjes met de managers van die filialen en het verzorgen van presentaties in hun winkels. En inmiddels is hij fulltime kleurconsulent.

Jacks verhaal van risico en afwijzing is hetzelfde als dat van bijna iedereen die stappen zet op een gebied dat nieuw voor hem is. Op een gegeven moment zul je je idee, wat dat ook is, aan iemand moeten verkopen. En dat is nooit gemakkelijk wanneer je een nieuwkomer bent. Je kunt het beste je verkooppraatje oefenen op een C-lijst van potentiële klanten. Het perfectioneren van je verkoopspelletje is een kwestie van uitproberen. Dan is het verstandig om je fouten te maken bij mensen die waarschijnlijk toch geen klant van je worden of die jou sowieso niets te bieden hebben. Wanneer je dan van je fouten geleerd hebt, ga je naar je B-lijst en daarna pas naar je A-lijst van de beste potentiële klanten.

Een product of dienst aanprijzen is altijd een fluitje van een cent wanneer het je niet uitmaakt wat het oplevert, maar zenuwslopend wanneer je het gevoel hebt dat er veel op het spel staat. De meeste mensen vragen in dat geval familie en vrienden om advies. Dat kan best bruikbaar zijn, zolang je feedback maar niet verwart met gedegen deskundig advies.

Als je op het punt staat de sprong te wagen, kun je alleen jezelf vertrouwen

David Chilton, schrijver van *The Wealthy Barber*, is een legende onder de schrijvers die in eigen beheer een boek hebben uitgegeven. Hij heeft miljoenen exemplaren van zijn eigen boek verkocht. Zijn gids voor financiële planning is nu nog steeds in trek, meer dan tien jaar nadat hij het op de markt heeft gebracht. Maar toen hij de eerste dozen bij de drukker ophaalde, had hij nog geen ervaring met hoe hij de volgende stap moest zetten. Toch stuurde hij tijdens het schrijfproces de afgeronde hoofdstukken rond naar zijn vrienden en familie om hun reacties te peilen. David vertelde dat hij daarmee niet alleen maar zijn vrienden om steun wilde vragen, maar dat hij oprecht wilde weten of mensen die hoofdstukken boeiend en bruikbaar vonden. Hun positieve feedback bleek een flinke oppepper voor zijn zelfvertrouwen te zijn en hielp hem door de onzekere begintijd waarin hij probeerde te verzinnen hoe hij zijn boek zou kunnen promoten. Dat zelfvertrouwen had hij hard nodig, want hij vroeg wel feedback over de inhoud van het boek, maar de mensen in zijn omgeving hadden geen ervaring met zelf boeken uitgeven of marketing. Ze konden hem niet helpen aan een stappenplan voor hoe hij zijn boek moest promoten; daarin kon hij dus niet op hen vertrouwen.

Je doet er goed aan je vrienden en collega's in te schakelen als feitencheckers, klankborden en steunpilaren. Maar maak hen niet tot adviseurs op gebieden waar ze nog minder van weten dan jij zelf. Wanneer je op het punt staat om belangrijke beslissingen te nemen, accepteer dan dat je er alleen voor staat. Zoek zo veel mogelijk advies van mensen die er echt verstand van hebben. Zo niet, dan zul je zelf de moeilijkste beslissing moeten nemen. Laat in ieder geval niet zomaar iedereen je volgende stap bepalen. Het is vervelend genoeg als je merkt dat je een verkeerde keuze hebt gemaakt, maar het voelt nog veel erger als je een goede kans hebt verknald doordat je het advies van meneer De Vries van de kamer hiernaast hebt opgevolgd, die, nu je er bij stilstaat, een zakelijk inzicht van likmevestje heeft.

Mijn cliënt Nicky wilde illustrator van kinderboeken worden, maar ze kon maar niet beslissen welke voorbeelden van haar werk indruk zouden maken op een uitgever, zodat ze een opdracht zou krijgen. Ze was bang dat ze haar kansen verspeelde als ze niet de juiste tekeningen zou insturen. En dus deed ze wat voor de hand lag: ze vroeg advies aan jan en alleman en kreeg tientallen adviezen, die allemaal anders waren. Toen ze na veel pijn en moeite eindelijk een keuze had gemaakt, kwam haar beste vriendin haar nog eens vertellen dat ze beter een totaal nieuwe serie tekeningen kon maken. Op dat punt raakte Nicky zo ontmoedigd dat ze bereid was haar ambitie, met al haar tekeningen, in de prullenmand te gooien.

Wat was precies de expertise van deze vriendin, die er zo heilig van overtuigd was dat Nicky de verkeerde keuze had gemaakt? Nicky omschreef haar als 'superslim en extreem succesvol'. Ze had inderdaad een indrukwekkende staat van dienst, maar dan wel in investeringsanalyses, niet in de uitgeefwereld. Ze bracht nooit tijd met kinderen door en wanneer haar werd gevraagd of ze Harry Potter kende, zei ze dat ze niet van sprookjes hield. Ze mocht dan beter dan wie ook weten hoe je de beursberichten interpreteert, maar Nicky had absoluut geen reden om te luisteren naar wat zij van haar tekeningen vond.

Notitie voor jezelf

Iedereen wil graag expert zijn in iets. Vraag iemand maar eens om advies en hij zal het je geven, of hij daar nu voor gekwalificeerd is of niet. Dat komt doordat iedereen de kans zal aangrijpen om de expert uit te hangen. Een bijkomend voordeel voor adviseurs is dat ze denken dat ze geen verantwoordelijkheid dragen, dankzij dat kleine voorbehoud dat ze er aan het einde altijd nog even aan toevoegen: 'Maar luister niet naar mij, hoor. Wat weet ik er nou van? Je moet het natuurlijk helemaal zelf weten.' Ja hoor, geweldig. Dus al dat gebabbel was gewoon een verspilling van vijftien minuten van je leven. Wanneer je je al onzeker voelt, zit je er echt niet op te wachten dat je in verwarring wordt gebracht door nog minder deskundige en minder doordachte meningen dan die van jezelf. Als je dus niet-experts om advies gaat vragen, beperk je dan tot specifieke inlichtingen over één enkel aspect van je project. Zo hield Nicky op met aan vrienden te vragen welke tekeningen ze in haar portfolio zou opnemen. In plaats daarvan vroeg ze hun te kiezen tussen bijvoorbeeld twee tekeningen van een koala.

Soms is het heerlijk om ergens niets van af te weten

Een gebrek aan kennis kan een zegen zijn. Daardoor ben je vrij om dingen te proberen die je niet zou doen als je beter zou weten. Toen ik besloot dat ik ook coaching wilde opnemen in mijn bedrijf, bood ik een gratis lunchcoachingssessie aan aan ieder bedrijf dat erop in wilde gaan. Nu ik op die eerste goedkope sessies terugkijk, schaam ik me. Ik stopte er veel te veel informatie in waar niemand op zat te wachten. En ik propte veel te veel ideeën in dat ene uur. Daardoor dwong ik mensen om heel snel te praten, met hun mond vol ciabatta. Maar er zijn ook momenten in het leven waarop het niet zo gek is om een beetje naïef te zijn. Het was goed dat ik ervan overtuigd was dat ik kundig genoeg was om kennismakingssessies aan te bieden over coaching; anders had ik nooit het lef gehad om in die directiekamers aandacht voor mezelf te vragen. Dankzij mijn ongefundeerde zelfvertrouwen deed ik de ervaring op die ik nodig had. Het duurde niet lang voordat ik mijn lunchcoachingssessies verfijnde en uiteindelijk een geweldig contract binnensleepte.

Niet zeker weten hoe je je idee het best kunt verkopen of je plan naar het volgende niveau kunt tillen, is een veelvoorkomend probleem. Je wordt gek van de gedachte dat je het eerst moet verpesten (met de bijbehorende pijn en soms zelfs vernedering) voordat je verstandig genoeg bent om een betere manier te verzinnen. Maar wees gerust: deze onvermijdelijke blunders zullen uiteindelijk fantastische legendes worden waarmee je de beginnende blunderaars kunt helpen die na jou komen.

Iedereen die op een bepaald gebied zijn eigen regenboog heeft gekleurd, heeft talloze vallen-en-opstaanverhalen. En juist die kronieken maken het zo interessant voor onszelf en voor anderen. Om er nog maar van te zwijgen dat deze tenenkrommende verhalen belangrijk zijn om in je achterzak te houden als je eens een feestje wilt verlevendigen.

Het is veel erger als je helemaal de deur niet uitkomt omdat je niet weet hoe het moet. Het komt vaak voor dat mensen hun geweldige plan opgeven omdat ze geen flauw idee hebben hoe ze het moeten uitvoeren. Maar tegenwoordig is het dankzij Google meestal vrij gemakkelijk om in ieder geval aan de informatie te komen die je nodig hebt om de eerste stappen te nemen. En je kunt altijd wat ervaring met onderzoek op je lijstje zetten. We hebben namelijk allemaal weleens uitgezocht hoe we een baan, een huis of een hypotheek kunnen vinden, een auto verkopen, een scheiding aanvragen, een huisdier kiezen of naar een andere stad verhuizen. Wanneer je erover nadenkt, zijn er in al die jaren waarschijnlijk wel tientallen gelegenheden geweest waarop je ergens in het duister tastte en het je vervolgens op een of andere manier toch weer lukte om een lichtpuntje te vinden.

Antwoorden komen voort uit vragen

Mensen die hun eigen regenboog weten te kleuren, zullen je vertellen dat je lang niet zoveel hoeft te weten als je denkt wanneer je op weg gaat om je doel te bereiken. Het is een proces waarbij je onderweg leert. Het enige wat je moet doen terwijl je verdergaat, is je richten op de eerstvolgende stap. Wanneer je niet zeker weet wat die stap zou moeten zijn, kun je je richten op de vraag die al voor duizenden succesverhalen heeft gezorgd: ‘Wat moet ik het eerst uitzoeken?’

Het principe van ‘vraag en gij zult krijgen’ werkt echt. Laten we bijvoorbeeld aannemen dat je manden uit Nigeria wilt importeren, maar dat je nog nooit eerder iets geïmporteerd hebt, behalve dan twee flessen whisky van je vorige vakantie in Schotland. Dus vraag je je af: 'Waar kan ik informatie krijgen over het importeren van goederen?' Een beetje googelen zal je op weg helpen en informatie opleveren over cursussen over importeren. Kennis bouwt voort op kennis. Als je eenmaal die eerste informatie hebt ingewonnen, zul je mensen vinden die er iets vanaf weten en die je kunt ondervragen. En kijk: daar heb je opeens een aantal antwoorden. Vervolgens probeer je dit proces opnieuw uit en nu vraag je: 'Waar kan ik distributeurs vinden voor deze manden?' En ja hoor, die vraag levert weer onderzoek op, dat weer tot meer inzicht leidt. Het maakt niet uit wat je doel is: uitzoeken hoe je het kunt bereiken begint met je idee opdelen in vragen.

Ik heb gemerkt dat de vijf W-vragen (en één H-vraag) die journalisten gebruiken, betrouwbare lanceerplatforms zijn, of je nu een nieuwe service op je werk of een persoonlijke interesse wilt ontwikkelen: wat, wie, waarom, waar, wanneer en hoe.

Ik zal je laten zien hoe deze vragen twee cliënten hebben aangezet om verder te gaan met hun ambities. Jasmijn, een inkoopmanager, had een vakantiehuis in gedachten voor moeders met peuters. André, een systeemanalist, wilde zich het ambacht van glas-in-lood maken eigen maken.

1. Wat?

Jasmijn stelde zichzelf de vraag: 'Welke soort activiteiten wil ik aanbieden?' Ze vond haar antwoorden door veel opvoedtijdschriften te lezen en door met consultatiebureaumedewerkers en jonge moeders te praten.

André vroeg zich af wat voor soort kunst hij wilde maken.

2. Wie?

Jasmijn onderzocht wie waarschijnlijk haar grootste afzetmarkt zouden vormen. Ze besprak dit idee met leden van stichtingen, reisbureaus, jonge moeders, alleenstaande moeders, moeders van peuters, moeders van wat oudere kinderen, enzovoort.

André stelde zichzelf de vraag wie hem zou kunnen helpen dat nieuwe ambacht te leren.

3. Waarom?

Jasmijn onderzocht alle redenen waarom moeders wel of niet geïnteresseerd zouden zijn in wat ze te bieden had, zodat ze de positieve kanten zou kunnen benadrukken en de negatieve kanten ondervangen.

André vroeg zich af waarom werken met glas-in-lood echt iets voor hem was.

4. Waar?

Om haar vraag 'Waar zou ik mijn vakantiehuis vestigen en hoeveel zou dat kosten?' te beantwoorden, belde Jasmijn pensions en bed and breakfasts in haar buurt op.

André stelde zichzelf de vraag waar hij een ruimte kon vinden om zijn kunst te maken en onderzocht of hij zijn eigen kelder tot werkruimte kon verbouwen.

5. Wanneer?

Jasmijn praatte met pensionhouders en moeders over wat de beste tijd van het jaar is voor een weekendje weg.

André onderzocht wanneer er instructieworkshops werden gegeven.

6. Hoe?

Voortbordurend op het antwoord op haar vraag hoe ze haar markt zou kunnen bereiken, deed Jasmijn internetonderzoek naar organisaties en publicaties voor jonge ouders met wie ze in contact kon komen om haar vakantiehuis aan te prijzen.

André vroeg zich af hoe hij zijn werkschema moest omgooien om zijn wekelijkse lessen in te kunnen passen.

Wanneer je erover denkt om een nieuwe service of nieuw product te gaan bieden, begint het antwoord op de vraag 'Hoe leg ik contact met mijn markt?' meestal met veel saai schrijfwerk, van plannen, voorstellen en promotiemateriaal. En het eindigt ermee dat je op allerlei deuren klopt en net doet alsof je precies weet waar je mee bezig bent.

'Doen alsof' is een standaard coachinstructie die wonderen voor je kan verrichten. Natuurlijk is het niet zo gemakkelijk wanneer je van binnen bibbert omdat je ervan overtuigd bent dat de rest van de wereld dwars door je onervarenheid heen kijkt. Maar het helpt om jezelf eraan te herinneren dat mensen alleen maar zien wat jij hun laat zien. En het is ook niet eerlijk om jouw zorgen over je capaciteiten te laten zien aan potentiële klanten, zodat je jouw onzekerheid tot hun probleem maakt.

Of je nu ervaren of nieuw bent op dit gebied, het is jouw

taak om mensen gerust te stellen dat je gaat leveren wat je zegt dat je zult leveren. Jouw uitdaging is uit te zoeken hoe je de nodige informatie en/of vaardigheden krijgt waarmee je aan die verwachtingen kunt voldoen. Je publiek hoeft niet te weten wat de logistiek achter de schermen is en wil dat ook helemaal niet. Wanneer je in een vliegtuig zit, wil je echt niet dat de piloot aankondigt: 'We vliegen nu op een hoogte van 10.000 meter en ik wil u ook nog even vertellen dat het mijn eerste vlucht als gezagvoerder is. Ik ben een beetje zenuwachtig en heb last van hartkloppingen. Maar gaat u rustig zitten, hoor. Ik hoop dat u een goede vlucht hebt. Ik hoop dat alles goed zal komen.'

Uiteraard hebben mensen die voor het eerst een project aanpakken of een nieuw bedrijf beginnen, het gevoel dat ze niet zoveel weten als ze zouden moeten. Toch kun je als nieuwkomer juist erg veel waarde bieden aan je team of aan je klant. Niemand werkt harder dan degene die wil overkomen als ervarener dan hij zich voelt.

Jack, de kleurconsulent, weet nog goed hoe hij dagenlang niet kon eten of slapen, vlak voordat hij een afspraak had met zijn eerste betalende klanten. Hij was ervan overtuigd dat ze hem zouden zien als een bedrieger en zo voelde hij zich ook. 'Ik weet nog wel dat ik 's nachts wakker lag en me afvroeg hoe ik toch zo stom kon zijn dat ik dacht te kunnen doen wat alleen opgeleide en ervaren binnenhuisarchitecten doen.'

Jack vertelde dat hij zich door zijn eerste betaalde consult had kunnen 'bluffen' door zichzelf te herinneren aan een anekdote die hij had gehoord over een stel dat ontevreden was over het werk van een zeer ervaren, dure binnenhuisarchitect. 'Ik putte veel troost uit het besef dat zelfs de grote namen er een potje van kunnen maken. Ik zei steeds maar weer tegen mezelf: "Ach, de klant vindt mijn ideeën misschien niks, maar er is ook geen garantie dat ze de ideeen van een bekendere consulent goed zullen vinden."' Ervaring staat niet automatisch gelijk aan goede kwaliteit. Toch moest Jack toegeven dat hij veel onbetaalde uren had gestopt in die eerste opdrachten. Maar daar had hij geen spijt van, omdat hij wist dat hij ondertussen veel had geleerd.

Doe net alsof je weet waar je mee bezig bent, zelfs wanneer dat niet zo is

Wanneer je net doet alsof je weet waar je mee bezig bent, ga je met volle kracht vooruit, op de best mogelijke manier van dat moment. Maar hoe doe je dat dan, doen alsof? William James, de invloedrijke Amerikaanse psycholoog en filosoof uit het begin van de twintigste eeuw, heeft ontdekt welke strategie mensen, ook nu nog, gebruiken. Hij was ervan overtuigd dat onze lichamelijke activiteiten corresponderende gevoelens bij ons oproepen. Als je glimlacht, beweerde hij, voel je je een stuk gelukkiger. Als je huilt, ga je je vanzelf verdrietig voelen. In zijn essay *The Gospel of Relaxation* schreef hij: 'Wanneer we doelbewust kiezen voor vrolijkheid als onze spontane vrolijkheid verloren is gegaan, gaan we opgewekt rechtop zitten, kijken we vrolijk om ons heen, en doen en spreken we alsof we al vrolijk zijn. Als dat gedrag je niet al snel opgewekt maakt, is er niets anders dat je op dat moment kan helpen. En als je je dus moedig wilt voelen, moet je doen *alsof* je moedig bent. Zet je wilskracht volledig in om dat te bereiken en een vlaag van moed zal dan zeer waarschijnlijk je angstaanval vervangen.'

Psycholoog Paul Ekman, een wereldpionier in de nonverbale communicatie, heeft uitgebreid onderzoek gedaan naar deze theorie van James. In een dialoog met de dalai lama, die opgetekend is in het boek *Destructive Emotions: How We Can Overcome Them*, borduurt Ekman voort op het verband tussen gezichtsuitdrukkingen en veranderingen in de hersenen. Hij merkt op: 'Met ons gezicht kunnen we niet alleen emoties uitdrukken, maar ook emoties activeren.' Zoals James al beweerde, bevestigt de wetenschap dat de daad van glimlachen alleen al, ongeacht hoe je je in werkelijkheid voelt, hersenactiviteit veroorzaakt die geassocieerd wordt met een prettig gevoel. En van fronsen staat vast dat het hersenactiviteit veroorzaakt die meestal geassocieerd wordt met somberheid. Met andere woorden: duw je borstkas vooruit en ga stevig staan, en je zult je ook echt zelfverzekerder voelen. Als dat moeilijk haalbaar lijkt, denk er dan aan dat je zelf kunt kiezen. Je kunt besluiten om je onzekerheid of verlegenheid aan je publiek te laten zien en horen, maar je kunt ook besluiten om de kracht te laten zien die voortkomt uit je overtuiging dat je hoe dan ook zult waarmaken wat je belooft.

'Net doen alsof tot je het echt kunt' betekent dat je te werk gaat met een zelfverzekerdheid die niet zozeer op ervaring is gebaseerd, maar op het vertrouwen in jouw vaardigheid om problemen op te lossen. Het betekent dat, hoewel je misschien niet weet of je alles op de best mogelijke manier aanpakt, je toch gewoon doorgaat. Je doet net alsof je er zeker van bent dat je op de goede weg bent. En je blijft op die weg tot je een goede reden hebt om een andere weg in te slaan. En dan probeer je het gewoon opnieuw, met weer wat meer ervaring. Dat is wat iedereen die zijn eigen regenboog kleurt, doet. En dat is echt waar.

Samenvatting

- Aangezien je iets nieuws probeert, kun je niet verwachten dat je nu al alle antwoorden hebt die je nodig hebt. Maar niet alle expertise die je zou willen hebben, vind je in boeken of bij vrienden die niet veel meer weten dan jij zelf.
- Je hoeft niet zoveel te weten als je denkt om te beginnen met je regenboog te kleuren. Het is een proces waarbij je leert terwijl je ermee bezig bent. Verdeel je idee in vragen en beantwoord één vraag tegelijk.
- Op een bepaald moment zul je 'moeten doen alsof tot je het echt kunt'. Doe net alsof je precies weet waar je mee bezig bent en zet je plan moedig door, ook al weet je niet zeker of je het allemaal wel goed doet. Alleen door het te proberen krijg je de ervaring die je nu nog mist.

Oefening

Doen alsof in drie stappen

Om te kunnen doen alsof, moet je eraan werken dat je zelfverzekerder overkomt dan je je misschien voelt. Denk eraan dat mensen alleen maar zien wat jij hun laat zien. Of je nu ervaren of nieuw bent op dit terrein, het is jouw taak om mensen ervan te verzekeren dat je gaat doen wat je beloofd hebt.
Ik zal je een fantastische driestappenstrategie geven om je te helpen doen alsof je superzelfverzekerd bent, zodat je met gemak indruk kunt maken op de mensen op wie jij indruk wilt maken. Het belangrijkste principe is dat, wanneer je je gedraagt als de persoon die je wilt zijn, je ook de persoon wordt die je wilt zijn.

Stap 1: Ben ik dat of hoor ik ergens een muis piepen?

Meestal kun je zien hoe zenuwachtig mensen zijn aan hun gezichtsuitdrukking, stem en houding. Sommige mensen praten veel te snel op vergaderingen, andere gaan mompelen, op hun stoel draaien of kijken voortdurend naar de vloer. Ik had eens een cliënt die, als hij zenuwachtig werd, zich steeds maar weer op zijn achterhoofd krabde. Ik weet zeker dat alle aanwezigen zich dan afvroegen of hij luizen had.
Je kunt jezelf ervan weerhouden om alarmsignalen uit te zenden door iedere interactie aan te gaan met een zeer sterk beeld in je hoofd van hoe je niet wilt overkomen en hoe je wel wilt overkomen. Dat is een soort van bio-feedbacktechniek: je blijft je steeds bewust van kenmerken die je niet op prijs stelt, zodat je jezelf kunt corrigeren.

Neem een persoon in gedachten, iemand die echt bestaat of een fictieve persoon, die verlegen en nerveus is. Dat kan een mens zijn, maar ook een dier, zoals een muis of een konijn. Schrijf op wat of wie je in gedachten hebt.

Stel je nu voor dat je, net voordat je een vergadering of een werkomgeving binnenloopt, de persoonlijkheid van deze persoon of dit dier krijgt. Beantwoord deze vragen:

Hoe voel je je als deze persoon of dit dier?

Wat is je houding? Hoe ziet dat eruit?

Wat is je gezichtsuitdrukking? Welke houding straal je uit?

Waar kijk je naar wanneer je spreekt?

Hoe klinkt je stem? Te hoog of te snel, te langzaam of te zacht?

Welke indruk maak je op degenen die je zou willen overtuigen?

Denk je dat je mensen ervan kunt overtuigen dat je kunt wat je zegt dat je kunt?

Stap 2: De koning der dieren

Neem nu een zeer krachtige persoon of een krachtig dier in gedachten. Schrijf op wie of wat je in gedachten neemt.

Je doel is om een vergadering of werksituatie binnen te stappen met het zelfvertrouwen en de macht van deze persoon of dit dier. Beantwoord deze vragen:

Hoe voel je je als deze persoon of dit dier?

Wat is je houding? Hoe ziet dat eruit?

Wat is je gezichtsuitdrukking? Welke houding straal je uit?

Waar kijk je naar wanneer je spreekt?

Hoe klinkt je stem?

Welke indruk maak je op degenen die je zou willen overtuigen?

Denk je dat je mensen ervan kunt overtuigen dat je kunt wat je zegt dat je kunt?

Stap 3: Herinner jezelf aan 'doen alsof'

Zorg ervoor dat je een geheugensteun vindt die je doet denken aan de krachtige persoon of het krachtige dier die of dat je net beschreven hebt. Dat kan een afbeelding zijn of misschien een object, zoals een pen of een horloge, of een steen die voor kracht staat. Kijk naar de afbeelding of raak het object aan om je eraan te herinneren dat je de gewenste fysieke en mentale houding voor zelfvertrouwen aanneemt.
Als je tijdens een interactie met één of meer anderen nog steeds wordt overweldigd door onzekerheid, vraag je dan af of je wilt overkomen als de nerveuze persoon die je hebt beschreven of als de krachtige persoon. Dan ontdek je dat door jezelf alleen al die vraag te stellen, je automatisch je gedrag gaat aanpassen.

9

Ja, maar ik ben zo bang

Angst heeft een raar gezicht. Kijk maar eens in de spiegel, zet grote ogen op en frons erbij. Goedemorgen! Nu zie je wat angst is. En die angst kijkt naar jou, als een verschrikt konijn dat verlamd in de koplampen van het leven staart.

Bij het minste of geringste komt angst de kop opsteken en neemt bezit van je geest als een ongewenste logé. En als die angst eenmaal bij jou logeert, vertrekt je zelfvertrouwen. Mensen zeggen tegen je dat je je niet druk moet maken, omdat de meeste dingen waarover we ons zorgen maken nooit gebeuren. Ze zeggen dat zelfs als het ergste gebeurt, je daar ook wel weer mee om kunt gaan. Toch ben je er helemaal niet gerust op. En je wordt helemaal gek. Je rent naar de badkamer om koud water op je gezicht te gooien en dan staat dat bange konijn je weer aan te staren in de spiegel. En op dat moment spoelen de laatste restjes zelfvertrouwen weg door de afvoer.

We luisteren allemaal naar onze angsten. Dat ligt in onze aard. Angst is een overlevingsinstinct. Zonder dat zouden mensen waarschijnlijk niet hebben bestaan en zouden er alleen maar mieren over de aarde lopen. Als we ons niet doodsbang in die grot hadden teruggetrokken toen we het gebrul van de sabeltandtijgers hadden gehoord, zouden we niet verder zijn ontwikkeld; we zouden niet meer zijn geweest dan een diner voor de grote katten. Zelfs vandaag nog moeten we de stuipen op het lijf dankbaar zijn, omdat ze ons eraan herinneren geen donkere steegjes in te lopen of naast beginnende golfers te gaan staan. En dus beschouwen we angst uiteraard als onze redder in nood. Maar het probleem is dat angst wel een beetje een controlfreak is. Ons overlevingsinstinct is zo verfijnd dat, als we het niet in toom houden, het een soort geobsedeerde verkeersregelaar wordt. Je zet één voet op straat en daar blaast hij al op zijn fluit, omdat er vijftien blokken verder een auto aankomt. Op die manier kom je natuurlijk nooit waar je moet zijn.

Angst houdt je vast waar je zit. Als je hem probeert opzij te duwen, vecht hij terug. En angst vecht gemeen. Hij stompt je gewoon in je maag. Daar sta je dan op het podium. Je bent absoluut niet in gevaar, maar de angst geselt je lichaam als een pestkop op school. Je publiek mag dan bestaan uit de allervriendelijkste mensen van de wereld, zoals een zaal vol nonnen, of folkzangers, maar toch zitten je ingewanden in de knoop, klopt je hart als een bezetene, staat het zweet in je handen en heb je knikkende knieën. Waarom? Denk je dat een van die nonnen opeens met een karateslag komt wanneer je er net niet op bedacht bent? Nee, het is gewoon je angst die overbezorgd is. Hij zegt: 'Wegwezen, sukkel. Je gaat vast af als een gieter, dus ga nu maar rustig van het podium af.'

Eigenlijk is angst een manipulator. Als je je verzet tegen de fysieke pesterijen, verandert hij al snel van tactiek en wordt hij een clichés rondstrooiend omaatje dat zegt: 'Het platgetreden pad is het veiligst, kind.' Als je daar dan tegenin brengt dat je ook eens een risico moet nemen, zet angst het vuur nog even hoger. En als je vastbesloten bent om een risico te nemen, wordt angst echt vervelend. Voor je eigen bestwil zal hij je luidkeels vertellen dat jij het gewoon niet in je hebt. 'Wacht even, maat,' zegt hij dan, 'in de jungle zijn de leeuwen de baas, en jij bent gewoon een kat in het nauw!'

Angst is een vermomde lafaard

Angst is absoluut niet gediend van risico's en daarom wil hij graag dat alles bij het oude blijft en je niet uit je veilige peuterbadje komt om in het diepe te springen. Misschien is het leven niet ideaal in dat lauwe badje met de waterspugende kikkers, maar er is daar tenminste niets engers dan een paar verzopen vliegen. Waarom zou je het risico nemen? In de ogen van angst is het leven een kwetsbaar kaartenhuis. Als je een van de kaarten aanraakt, kan het hele ding instorten. Dat lot kun je gemakkelijk voorkomen als je alles gewoon laat zoals het is. Laat die dingen toch lekker zitten!

Je innerlijke criticus spant samen met angst. Als je innerlijke criticus echt een persoon zou zijn, zou je al na twee minuten in zijn gezelschap hard willen wegrennen. Deze veroordelende ratelaar die in ieder van ons zit, leeft van onze onzekerheden en doet niets liever dan ons onze tekortkomingen onder de neus wrijven. Iedere keer dat je voelde dat je iemand teleurstelde, of dat nu een van je ouders was of je onderwijzer van groep 8, heeft je innerlijke criticus daar een aantekening van gemaakt. Iedere keer dat iemand afkeurend zucht dat hij toch meer van je had verwacht, registreert de innerlijke criticus die klacht. Iedere keer dat je iets verknoeit, slaat de innerlijke criticus dat op. Iedere keer dat je het idee hebt dat je niet aan iemands standaard hebt voldaan, of dat nu de standaard is van mensen die je kent of die van de maatschappij in het algemeen, was daar weer die innerlijke criticus, die jouw gevoel van tekortschieten opschreef om je daar later weer aan te kunnen herinneren.

In het ene oor fluistert dus je angst dat je je koest moet houden omdat de boze buitenwereld op de loer ligt, waar mensen met goede bedoelingen allerlei ellendigs overkomt. Mensen verliezen voortdurend hun baan, hun relatie of hun kat. Als alles goed loopt in je leven, raak dan in godsnaam niet je kaartenhuis aan. Steeds maar weer blaast de angst op zijn fluitje om je te waarschuwen dat je op de stoep moet blijven en het noodlot niet moet tarten. En in je andere oor zit je innerlijke criticus al je fouten op te noemen. Hij vraagt je hoe jij, met al je fouten en die hele rits van mislukkingen achter je, denkt te verwachten dat je jezelf oppept en succes boekt.

Het is verleidelijk om onze angst en onze innerlijke criticus te zien als liefdevolle aspecten van onszelf die alleen maar willen dat we voorzichtig doen. Maar dat is niet hetzelfde als het gemompel van onze zorgzame innerlijke grootmoeder, die ons aanspoort om een jas aan te trekken wanneer het buiten koud is. Angst en zelfkritiek zijn verlammende krachten. Als je hun het heft in handen geeft, zullen ze je ervan weerhouden om ooit nog buiten te spelen. De zorgzame stem spoort ons tot actie aan en waarschuwt ons dat we wel goed moeten opletten. Wanneer we onszelf vertellen dat we voorzichtig moeten zijn, zetten we onze radar aan. Wanneer we onszelf vertellen dat we niet goed genoeg zijn om onze ambitie te verwezenlijken en we de rampzalige gevolgen zullen ondervinden als we dat wel proberen, zetten we onszelf op slot.

Angst en zijn boosaardige tweelingbroertje, de innerlijke criticus, horen gewoon bij het leven. Een kleine minderheid van de mensen, zoals degenen die naast haaien zwemmen of ijsschotsen beklimmen, zullen toevallig net op de wc hebben gezeten toen de goden angst en twijfel uitdeelden, maar verder heeft iedereen ongeveer een gelijke portie gekregen. Mensen die hun eigen regenboog kleuren, zijn echt niet zelfverzekerder of veiliger dan ieder ander, maar zij hebben geleerd hoe je kunt worden als die beginnende schaatsers die je in het midden van de ijsbaan ziet wiebelen. Ondanks hun knikkende knieën zijn ze vastbesloten om een keer die stoel los te laten en zich bij de cirkel van zoevende ervaren schaatsers te voegen. Ze zijn nog een beetje huiverig, maar ze zijn ook absoluut van plan om zich te vermaken. Angst wil altijd met je meerijden, dus dan moet je hem maar af en toe uitzetten.

Notitie voor jezelf

Iedere keer dat iemand iets nieuws verzint dat een bepaald risico met zich meedraagt, gaan mensen het vervelende spelletje spelen van: 'Wat doe je dan als...?' Zo gaat dat: je vertelt dat je je baan gaat opzeggen en zelf een bedrijf gaat beginnen. 'Wat doe je dan als je ziek wordt? Wat gebeurt er dan met je bedrijf?' Laten we zeggen dat je daarop een heel simpel antwoord hebt. 'Daar ben ik voor verzekerd.' Je tegenstander zal dan zeggen: 'Maar dan ben je inmiddels misschien veel ouder. Wat doe je als je te oud bent om nog aangenomen te worden bij een bedrijf? En bovendien: wat als je dan ziek wordt? Je kunt niet werken als je ziek bent.' Dan zeg je dat je je huis zult verkopen als dat nodig is. 'Maar je huis is je enige zekerheid. Wat ga je dan doen?' Het doel van dit populaire spelletje is om de angst te laten winnen en jou te laten verliezen. De meeste mensen houden het een paar ronden vol en geven zich dan gewonnen. We hebben misschien een goed plan A, een helemaal niet zo gek plan B en een redelijk plan C achter de hand, maar ons plan D ziet er niet uit, en dat vinden we zelf ook. En bovendien, wie weet er nou een goed antwoord op: 'Wat als er een aardbeving of een overstroming komt?' De nare waarheid is dat je dit spelletje gewoon niet kunt winnen. Je kunt het dus het beste helemaal niet spelen. 'Wie dan leeft, wie dan overbezorgd is' is ook een goed antwoord. Het kan vriezen, het kan dooien. Niemand kan de toekomst voorspellen, maar het goede nieuws is dat wat er ook gebeurt, we er bijna altijd veel beter mee weten om te gaan dan we hadden verwacht.

Angst heeft heus wel goede argumenten. Maar op iedere angstaanjagende 'Wat gebeurt er dan als...?' zou je ook kunnen antwoorden: 'Nou en?' Maya, die zelf een reclamebureau opzette dat zich richtte op Indiase en Zuid-Aziatische consumenten in Noord-Amerika, ontdekte dat het enige goede antwoord op de vraag 'Wat doe je als je bureau uiteindelijk niet winstgevend blijkt te zijn?' was: 'En wat dan nog?' Ze vertelde dat als haar bedrijf na een paar jaar geen winst maakte, ze op zoek zou gaan naar een baan bij een gevestigd bureau. En als niemand haar dan zou aannemen? Dat was zeer onwaarschijnlijk, maar als ook dat zou gebeuren, zei Maya dat ze freelanceopdrachten zou doen. Ze is een vindingrijke persoon, dus zou ze altijd wel *iets* kunnen doen.

Natuurlijk klinken deze oplossingen belachelijk oppervlakkig voor mensen die op het punt staan in het diepe te springen zonder reddingsboei in de buurt. En dat klopt ook wel: wanneer de ergste nachtmerries uitkomen, zijn er maar weinig mensen die hun schouders ophalen en zeggen: 'Ach, wat geeft het. We gaan gewoon verder.' Nee, dan rukken we onze haren uit, schelden we en vloeken we, en zijn we er doodziek van. Het duurt even voor je van een paniekaanval weer in de overlevingsstand komt, maar uiteindelijk ploeteren we toch door en kunnen we ermee omgaan. En als je koelbloedig genoeg bent om je regenboog te kleuren, is het ook logisch dat je diezelfde vastberadenheid en hetzelfde vertrouwen kunt gebruiken om je situatie te verbeteren.

De innerlijke kampioen heeft ook nog een troef achter de hand

De innerlijke criticus mag je dan kwellen met een hele rits mislukkingen uit je verleden, maar de innerlijke kampioen kan ook nog een troef op tafel gooien. Hoe we dingen soms ook verknoeid hebben, we hebben het vaker goed gedaan dan slecht.

Natuurlijk: iedereen zou wel willen dat hij slimmer en wijzer was, maar als je om je heen kijkt, zie je dat je geen Einstein hoeft te zijn om succes te hebben. Mensen die hun eigen regenboog kleuren, zeggen dat je echter wel het idee moet kunnen afschudden dat je gedoemd bent te mislukken omdat je niet aan de verwachtingen of de standaard van anderen uit het verleden hebt kunnen voldoen. Zo'n standaard is gewoon een ander woord voor 'oordeel'. Die oordelen van mensen zijn meestal hard en zeggen meer over hun eigen problemen dan over die van jou.

Karina, een HR-professional, werd gecertificeerd zakelijk coach, zodat ze op haar werk haar rol kon uitbreiden en coachingssessies kon aanbieden. Maar haar sceptische directeur stelde vast dat haar training niet goed genoeg was. 'Mijn baas bleef maar van die hoepels omhooghouden waar ik doorheen moest springen. Elke keer als ik een hoepel haalde, hield hij de volgende nog hoger vast. Nadat ik gecertificeerd coach was geworden, vertelde hij me weer dat ik niet geschikt was voor die rol omdat ik geen bedrijfspsycholoog was. Ik begon echt te geloven dat hij gelijk had: misschien kon ik niet aan de standaard voldoen.'

Karina was eerst ontmoedigd, maar werd daarna boos, toen een collega voor de grap tegen haar zei dat zelfs wanneer ze een studie psychologie aan de plaatselijke universiteit zou hebben afgerond, haar baas haar vast opnieuw zou afwijzen, met het argument: 'Ja maar, Karina, je hebt geen psychologie aan Harvard gestudeerd.' Karina vertelde dat ze op dat moment ophield met hem haar gevoel van eigenwaarde te laten bepalen. 'Eindelijk had ik door dat ik zelf niet het probleem was. Deze man wilde blijkbaar niet dat zijn medewerkers gecoacht werden. Hij werd er zenuwachtig van. Misschien was hij wel bang dat ze allemaal ontslag zouden gaan nemen vanwege hem. Ongeveer twee jaar geleden ben ik opgehouden met hem om toestemming te vragen en heb ik hem verteld dat ik op proef coaching zou aanbieden. En nu ben ik de officiële huiscoach van het bedrijf.'

Laat je niet ontmoedigen: word kwaad

Wanneer alles goed gaat, kun je positieve, rationele gedachten gemakkelijk gebruiken om weerstand te bieden aan angst en twijfel. Maar deze plaaggeesten vallen meestal pas aan wanneer je op een obstakel bent gestuit en je minder weerstandsvermogen hebt. Zodra je je even kwetsbaar voelt, prikken ze met een vinger in je borst en lachen ze zo hatelijk hard in je oor dat je niet meer goed over een weerwoord kunt nadenken. Vermoeid door hun prikken en duwen begin je te denken dat jouw oplossingen voor de doemscenario's onbenullig zijn en dat je lijst met overwinningen schril afsteekt tegen je verzameling mislukkingen.

Op zo'n moment zeggen mensen die hun regenboog kleuren dat de enige manier om terug te vechten is door je rug te rechten en boos te worden. Echt waar. Wanneer je door onzekerheid wordt overmand en merkt dat je alle redenen gaat opnoemen waarom je je doel niet zou moeten en kunnen halen, stop je gewoon en zet je het op een gillen. Stel je idee en je ambitie veilig, en schreeuw al die twijfels weg.

Geef ze ervan langs met je stem, als een verbale karateslag. Dat is wat de echte hoogvliegers doen wanneer hun innerlijke plaaggeesten hun zelfvertrouwen bedreigen. Wanneer je je ergert aan die angst en boos wordt, gaat die valse hond er al snel met de staart tussen zijn poten vandoor.

Ik moedig mijn cliënten aan om agressieve strijdkreten te verzinnen waarmee ze tegen aanvallen van twijfel en angst kunnen vechten. Zelf grom ik: 'Deze keer lukt het me wel!' wanneer mijn angsten me zover proberen te krijgen dat ik een project halverwege opgeef. Voor mijn cliënt Anouk, die eerst journalist was en daarna haar eigen bureau voor mediatraining opzette, bleek dat 'Kijk mij dan!' een effectieve remedie was voor haar onzekerheden. Nadat mijn cliënt Marcus promotie had gekregen, lag hij nachtenlang wakker en piekerde hij of hij wel competent genoeg was om een hele marketingafdeling over te nemen. Hij kon pas weer slapen toen hij terugvocht met 'Het kan me geen ** schelen, ik ga het ** gewoon proberen!'

Een strijdkreet is je verbale kaakslag tegen de angst. Dat is iets anders dan positieve affirmatie. Positieve affirmatie houdt in dat je praat over een prestatie alsof je die al geleverd hebt, en dat activeert optimisme. En optimisme creeert weer een stoot energie die je tot actie aanzet. Affirmaties werken wel, maar ze zijn toch vaak moeilijk aan jezelf te verkopen. Ik kan wel twintig keer op een dag hardop zeggen dat ik rijk ben, maar iedere keer dat ik het zeg, mompelt er van binnen een stemmetje: 'Ja hoor, waar is dat geld dan?' Ik zal het dus moeilijk vinden om die optimistische knop om te zetten.

Voor een verbale vuistslag hoef je jezelf nergens van te overtuigen. Je vertelt gewoon je innerlijke criticus dat hij zijn mond moet houden, zodat je je plannen door kunt zetten. Dat is niet veel anders dan een fanatieke skiër die 'Kop dicht!' roept tegen een angsthaas die vanaf de zijlijn roept: 'Pas op! Je bent al eens eerder gevallen!' en 'Ooh, kijk toch uit voor die kleine hobbeltjes!' Stel je voor wat jij zou denken als de skiër zich tot de zenuwachtige toeschouwer zou keren en zeggen: 'Goh, je hebt gelijk. Ik zal heel voorzichtig doen. Weet je, ik denk zelfs dat ik maar helemaal het zekere voor het onzekere neem en mijn ski's afdoe en met de stoeltjeslift naar beneden ga. Dank je wel, hoor.'

Iedere supporter is bang dat de skiër over de kop gaat tijdens de race, maar het zou veel erger zijn haar zich te zien overgeven aan angst en twijfel dan haar te zien vallen. Als de skiër valt, bewonderen we haar evengoed omdat ze het heeft geprobeerd. Als ze het niet probeert, valt er maar weinig te bewonderen. Iedereen die graag zijn idee wil verwezenlijken, verschilt niet veel van de skiër die angst en kritiek moet buitensluiten om enige hoop op succes te hebben. Net als voor de skiër zijn er voor jou ook tijden waarop je je innerlijke angsthaas duidelijk moet vertellen dat hij moet ophoepelen.

Samenvatting

- Angst is als een soort persoonlijke verkeersleider. Hij is er zo op gebrand dat je veilig blijft, dat hij je voor eeuwig op de stoep zou laten staan.
- Twijfel aan jezelf is de beste vriend van angst. De innerlijke criticus herinnert je aan je mislukkingen uit het verleden, dus neem maar niet te veel risico's. Mensen die hun eigen regenboog kleuren, hebben ook weleens last van angst en twijfel, maar ze hebben geleerd hoe ze die uit kunnen schakelen.
- Wanneer je overweegt om je ambitie op te geven vanwege angst en twijfel, ga dan geen ruzie met jezelf maken, maar word kwaad en ga schreeuwen.
- Duw je innerlijke angsthazen weg met het verbale equivalent van een karateslag, als dat nodig is. Wanneer je je ergert aan de angst en je kwaad maakt, gaat deze valse hond, die eerst nog gromde, er met de staart tussen zijn poten vandoor.

Oefening

Twee strategieën tegen pesterijen van je innerlijke criticus

Beschouw je innerlijke criticus – die zeurende kritische stem die het heerlijk vindt om jou aan al je tekortkomingen te herinneren – als je persoonlijke pestkop. Hij is er altijd. In je hoofd hoor je hem jou uitlachen en op je schelden. De volgende twee oefeningen zullen je helpen je ambitie door te zetten, ondanks de pogingen van je persoonlijke plaaggeest om jou zielig in een hoekje te laten zitten.

Strategie 1: Terugvechten

In discussie gaan met je innerlijke pestkop is gevaarlijk. Je kunt gemakkelijk verzeilen in een eindeloos geduw en getrek. 'Ik bén niet stom.' 'Wel.' 'Niet, joh!' 'Welles!' 'Nietes!' Gefrustreerd en uitgeput sluit je je voor de ruzie af door heel hard het volume aan te zetten van *America's funniest home videos.* En dan spreekt de pestkop die vernietigende laatste woorden uit: 'Zie je wel.'

De innerlijke criticus geeft je nooit het laatste woord. Hij is net als de schorpioen in de bekende fabel, die een kikker smeekt om hem de rivier over te dragen, en belooft dat hij hem niet zal steken. Maar halverwege steekt hij de kikker toch en zo verdrinken ze allebei. 'Waarom doe je dat nou?' klaagt de kikker met zijn laatste adem. 'Tja, dat ligt nu eenmaal in mijn aard,' zegt de schorpioen, die vervolgens door de stroom wordt meegesleurd. En zo is het de aard van de innerlijke criticus om kritiek te leveren. Maar je kunt hem zijn mond laten houden met een verbale dreun waardoor hij sprakeloos en versuft achterblijft. Met deze tactiek gooi je de deur voor de neus van de twijfel dicht en snoer je hem de mond wanneer dat nodig is.

De allerbeste verdedigingstechniek is om klaar te staan met je verbale dreun op het moment dat je die innerlijke stem hoort zeggen dat je niet goed genoeg bent om je ambitie uit te voeren. Misschien zeg je al heel vaak 'Laat me met rust' of iets dergelijks. Als je op zo'n moment geen dreigement hebt waarbij je je kaken op elkaar zet, je ogen tot spleetjes knijpt en je handen tot vuisten balt, kun je ook deze tweestappenoefening eens proberen.

1. Bedenk hoe je innerlijke pestkop jou tergt. Wat is bij uitstek de zelfkritiek die bij jou gevoelens van twijfel of angst oproept?
2. In plaats van toe te geven aan de innerlijke pestkop, moet je kwaad worden. Denk aan een scène in een film, een boek of een liedje waarin die stoere kerel of vrouw een fantastische 'kom-maar-op'-uitspraak gebruikt. De held is intens, bloedserieus, kwaad, en voor niets en niemand bang. Dat is het moment dat je je eigen wilt maken. Wie wil je laten winnen in een krachtmeting tussen jou en je twijfel? Schrijf op wat je tegen een irritante pestkop zou zeggen die jou een kopje kleiner wil maken.

Strategie 2: Ontmasker de pestkop

Een andere techniek om de innerlijke criticus aan te pakken is door hem van zijn voetstuk te stoten. Net als alle pestkoppen is de innerlijke criticus een soort Tovenaar van Oz: een zielig mannetje dat zich achter een angstaanjagend masker verstopt. Het kan erg handig zijn om een lichtje op je pestkop te schijnen om te kijken hoe dit figuurtje, dat zoveel invloed op je heeft, er nu echt uitziet. Als je je innerlijke criticus wat lichamelijke kenmerken kunt geven, kun je gemakkelijker zien dat hij eigenlijk gewoon een vervelende klier is.

1. Pak een potlood en teken de trekken in het gezicht dat op bladzijde 141 staat afgebeeld. Teken zo goed mogelijk het gezicht van een persoon die er altijd van overtuigd is dat hij gelijk heeft en jij ongelijk, die altijd kritisch is en alleen jouw tekortkomingen ziet.
   - Hoe zouden de ogen eruitzien?
   - Welke uitdrukking ligt er op het gezicht?
   - Wat voor haar zou die persoon hebben?

Schrijf in de tekstballon op wat de innerlijke criticus zegt. Schrijf in het kader wat je terug zou zeggen om hem of haar de mond te snoeren.

2. Kijk naar je tekening en stel jezelf deze drie vragen:
   - Wil deze criticus echt geloven dat het me kan lukken? ja/nee
   - Wil de criticus me aanmoedigen om het te proberen? ja/nee
   - Wil de criticus me steunen in mijn beslissing om te proberen mijn doel te halen?
     ja/nee

3. Iedere keer dat je die stem hoort die alles in twijfel trekt, moet je denken aan het afkeurende gezicht van je innerlijke criticus en tegen jezelf zeggen: 'Ik ga niet luisteren naar dat deel van mij dat niet eens wil dat ik *probeer* te slagen.'

Vecht terug ______________________________

10

Ja, maar ik heb geen tijd

Ideeën zijn maar beperkt houdbaar. Je denkt misschien dat je er wel eentje in een la kunt leggen om later op terug te komen, maar tegen de tijd dat 'later' komt, maak je de la open en zie je dat er niets in ligt. Je dacht dat daar nog steeds een idee op je lag te wachten, maar dat is al lang geleden verdampt.

Een idee is als een smeulend houtskoolvuurtje. Als je erop blaast, kan het vlam gaan vatten. Als je het met rust laat, gaat het uit. 'Nee, wacht eens even,' zul je misschien tegenwerpen, 'hoe zit het dan met die mensen die er hun leven lang van dromen om de wereld rond te zeilen of een opera te componeren en daar uiteindelijk op hun negentigste aan toekomen?' Ten eerste zijn die mensen altijd op de smeulende houtskool blijven blazen. Ze hebben onderzocht, gepland en gewerkt aan de vaardigheden die ze ervoor nodig hadden. Ten tweede: als ze een beetje sneller waren geweest, hadden ze nog wel een paar keer rond de wereld kunnen reizen of wel tien opera's kunnen componeren. Die mensen zijn dus wel inspirerend, maar ze zijn misschien niet de perfecte rolmodellen voor je.

Het komt maar zelden voor dat de planeten, de sterren en jouw vrije tijd zich optimaal tot elkaar verhouden. Er is altijd wel een reden waarom het volgende jaar of het volgende decennium een betere periode voor je is. Als je een aantal onontkoombare redenen hebt om je ambitie uit te stellen, zorg er dan ten minste voor dat je een onwrikbare begindatum vastlegt en tot die tijd op het smeulende vuur blijft blazen. En misschien is het ook helemaal niet verstandig om Abeltje van school af te halen en hem zelf te onderwijzen terwijl je een jaar kampeert in het regenwoud van Madagaskar om halfapen te bestuderen. Het zou een fantastisch jaar kunnen zijn, maar stel dat Abeltje zo'n achterstand oploopt dat hij niet in aanmerking komt voor een studie wiskunde, waar hij op hoopt. Dat hoeft niet te betekenen dat je de hele onderneming afblaast totdat Abeltje zijn eindexamen heeft gehaald. Je zou een stappenplan kunnen opstellen dat je in beweging houdt tot de vertrekdatum die voor iedereen werkbaar is.

Tijd is een raar fenomeen. Als je tussen de tien en 21 jaar oud bent, lijkt elk jaar wel een leven lang te duren. Voor de 21-jarige lijkt zijn tiende verjaardag een eeuwigheid geleden. Voor de tienjarige lijkt de periode van de ene winter tot de volgende niet slechts een aantal maanden te duren. De twaalf maanden die voor de volwassene voorbijrazen, lijken voor een kind lang te duren. Maar dat gevoel dat de tijd sneller gaat wanneer we ouder worden, is niet gewoon een fascinerende illusie. Ons gevoel voor tijd verandert wanneer we ouder worden, doordat ieder jaar een kleiner stukje van de taart wordt, wiskundig gezien. Voor de tienjarige, die 3650 dagen geleefd heeft, is één jaar tien procent van zijn leven. Voor de vijftigjarige, die er al 18.250 dagen op heeft zitten, is één jaar maar twee procent van zijn leven.

De dagen en maanden gaan zo snel voorbij dat het voelt alsof we allemaal op een snel voortbewegend trottoir lopen. Als je je idee niet gaat uitvoeren, kun je er in slechts twee procent van je leven al ver van verwijderd zijn.

De klok tikt door. Letterlijk. Op internet kun je een zogenaamde doodsklok (*death clock*) vinden, waarvoor je een aantal factoren kunt invullen om te berekenen hoe lang je waarschijnlijk nog te leven hebt. Vervolgens begint de klok vanaf die datum het aantal seconden weg te tikken. Er is niets dat je zoveel angst aanjaagt en je je lijst van honderd dingen laat pakken die je nog wilt doen, als de seconden die je nog hebt voor je ogen weg te zien tikken.

Maar het feit dat niemand het zich kan veroorloven om het leven even stil te laten staan, is niet de enige reden dat je vandaag aan je doel moet werken. De andere reden is dat ideeën bederven als je ze niet activeert. Als het smeulende vuur geen hitte meer heeft, lekt de energie uit een idee en koelt het af. Een paar eeuwen geleden hadden mijn zus en ik tegelijkertijd liefdesverdriet, toen onze vriendjes het hadden uitgemaakt. Om onszelf te troosten, begonnen we samen een grappig boek te schrijven over hoe je het overleeft als je vriendje het uitmaakt. We maakten een vliegende start, lagen krom van het lachen terwijl we bladzijden vol schreven over hoe je over die eikels heen komt. En toen lieten we het leven er weer tussen komen. Er kwamen een paar flinke opdrachten uit de lucht vallen en *Take two brownies* gooiden we weer van ons werkschema. Het duurde jaren voordat we weer tijd konden vrijmaken voor het boek. En toen staken we onze energie liever in iets nieuws dan in wat oude papieren afstoffen die al eeuwen in een la hadden gelegen.

In de tijd dat we het boek schreven, riep ieder hoofdstuk weer ideeën op voor het volgende. Alles wat we deden en zagen, stimuleerde ons creatieve proces. We zagen wenskaarten in winkels en herschreven de romantische kaarten ter plekke. We veranderden bijvoorbeeld 'Ik hou van jou met heel mijn hart' in 'Ik hou van jou met heel mijn haat'. Met de liedjes op de radio zongen we mee en in plaats van 'Ik kan je ogen niet vergeten' werd het dan: 'Ik kan die rotstreek niet vergeten'. Door dat spuien van ideeën bleef het vuur voor ons project branden.

Toen we helemaal stopten met het schrijven van het boek, stopten we ook met al dat spontane brainstormen. Onze aandacht had zich verlegd. We kregen het te druk met andere dingen. En veel later pas, toen we overwogen om het project nieuw leven in te blazen, merkten we dat de vaart eruit was. Als we het vuurtje van ons idee waren blijven aanwakkeren, waren we nu de schrijvers van een boek geweest dat een aantal gebroken harten had geïnspireerd om sneller te helen.

De reden waarom het zo moeilijk is om je project weer op te pakken, is dat je zelf in die tijd veranderd en gegroeid bent, maar je idee niet. Mijn zus en ik groeiden over ons liefdesverdriet heen. We pakten ons leven weer op en we wilden niet naar het verleden terugkeren. In de loop van de tijd herschreven we zelfs de geschiedenis, zodat we er jaren later van overtuigd waren geraakt dat wij die eikels hadden gedumpt en niet andersom. Als we in die tijd door waren gegaan met aan het boek werken, hadden we dat melancholieke helingsproces gedocumenteerd. Dan was het boek met ons meegegroeid. Maar het liep anders: toen we jaren later het stof van de bladzijden bliezen, hadden we er geen band meer mee.

Je dagelijkse routine geeft een idee vorm

Als je er niet voortdurend aandacht aan geeft, verliest een idee zijn vorm, als een plant die verdort wanneer je hem geen water geeft. Maar op dit moment heb je het gewoon echt te druk om aan je project te denken, toch? Tja, wat kun je eraan doen? Een dag duurt maar 24 uur. Je hebt al zoveel op je bordje dat je nauwelijks tijd hebt om dat broodje kaas naar binnen te werken in de loop van de dag. Laat staan dat je een beetje gaat spelen met een idee dat je hebt. Dat mag voor jou de realiteit zijn, maar jij bent ook de enige die daar verandering in kan brengen.

Eén ding weten we zeker: als iets belangrijk genoeg voor ons is, maken we er tijd voor. Wanneer ons werk van ons verlangt dat we na werktijd een of andere cursus volgen en een paar examens halen, lukt dat ons op een of andere manier. Wanneer je ervan overtuigd bent dat jouw kind de opvolger is van Yo-Yo Ma, vind je op een of andere manier wel de tijd om hem naar de eindeloze cellolessen en muziekwedstrijden te brengen.

Iedere minuut van de dag kies je zelf hoe je je tijd gaat gebruiken. De vraag die bepaalt of je idee leeft of sterft, is dus: wil je ervoor kiezen om tijd vrij te maken voor je project? Antwoord alleen maar met 'ja' of 'nee'. 'Op dit moment niet' betekent 'nee'. 'Ja, volgend jaar' betekent ook 'nee'.

Mensen die hun eigen regenboog kleuren, accepteren dat het nu of nooit is. Want dat is ook echt zo. Je zorgt voor je project of je laat het varen. Je hebt kans dat je er nooit meer naar omkijkt, omdat er altijd wel nieuwe bezigheden zijn die tussen jou en je idee komen. Net als alle andere dingen verouderen ideeën. En een oud idee is net als een oude vlam. Wanneer je jaren later weer eens afspreekt, kun je je niet meer goed voorstellen waarom je toch zo stapelverliefd was. Je weet niet meer zo goed wat die vonkjes opriep en welke toekomstvisie je toen in gedachten had. Wanneer je aan het idee vast blijft houden, blijven die details en die visie je ook bij.

Een veelvoorkomende reden waarom mensen niet aan een idee vasthouden, is omdat ze bang zijn dat het te lang gaat duren om hun doel te verwezenlijken. Het beste weerwoord hierop heb ik ooit gehoord in een kleine drukke bistro in Brussel, waar ik van de beroemde Belgische keuken genoot terwijl ik meeluisterde met een gesprek tussen een dochter en haar bejaarde moeder. De dochter probeerde te beslissen of ze naar school terug zou gaan om apotheker te worden.

'Het is een mooi beroep,' zei de moeder. 'Het past echt bij je. En je bent helemaal niet tevreden met je werk als verpleegster.'

'Maar *maman*,' zei de dochter, 'is het niet een veel te wild idee? Het zal me vier jaar studie kosten. Ik zal 42 zijn als ik afstudeer.'

'*Ma chérie*,' zei de moeder, 'over vier jaar ben je sowieso 42, of je nu apotheker bent geworden of niet. Waarom zou je niet als 42-jarige apotheker worden in plaats van 42 zijn en je nog steeds ellendig voelen?'

'Ja, daar heeft ze gelijk in,' flapte ik eruit. De moeder keek naar mij om en glimlachte uitbundig. Zij en ik werden onmiddellijk vriendinnen en haar dochter besloot om naar school terug te gaan.

De tijd verstrijkt, wat we er ook mee doen. Dan kunnen we die tijd net zo goed gebruiken om ergens heen te gaan waar we graag willen zijn.

Notitie voor jezelf

Doemdenkers zullen je vertellen dat, als je dat idee niet uit de koelkast haalt, het blijkbaar nooit zo heeft mogen zijn. Maar dat is gewoon een verhaaltje dat mensen je willen vertellen om je je beter te doen voelen over het feit dat je je ambitie opgeeft. Er is geen enkele reden om aan te nemen dat het energiegevende idee dat je niet hebt uitgewerkt, niet de moeite waard was. Jouw idee kwam niet tot leven doordat je afgeleid werd, iets anders ging doen en uiteindelijk een andere kijk op dingen kreeg. Je kunt wel zeggen dat je ervoor hebt gekozen om de onderneming niet door te zetten, maar je kunt nooit zeker weten dat het voor jou geen interessante weg zou zijn geweest.

Kijk goed naar waar je 'ja' of 'nee' tegen zegt

Er zijn honderden boeken en cursussen op het gebied van timemanagement. Ik heb de meeste wel gelezen en ik heb meer dan tien workshops over het onderwerp gevolgd. Nooit heb ik daartussen de ultieme oplossing gevonden. Voor sommigen van mijn cliënten werkt het om de dag te verdelen in blokken van tien of vijftien minuten. Lisa, een computerprogrammeur die ik heb gecoacht, heeft haar roman kunnen schrijven in haar hokje, door er vijf dagen per week haar lunchpauze voor uit te trekken. Ze schakelde heen en weer tussen haar werk en haar roman, zonder ook maar één steek te laten vallen. Ik was wel jaloers op haar vermogen om zo te pingpongen. Een andere cliënt, die een marathon wilde rennen, nam mijn voorstel over om om kwart over vier 's ochtends op te staan en te trainen tot zeven uur. Dan maakte ze haar kinderen wakker en bereidde zich op haar werk voor. Dat deed ze twee jaar lang en vervolgens legde ze de marathon van Boston af. Ik had het zelf geen week volgehouden op dat schema.

Zelf heb ik iedere timemanagementstrategie uitgeprobeerd die ik mijn cliënten heb aangeraden. Taken aan anderen delegeren, later naar bed gaan, vroeger opstaan, lijstjes maken voor die dag, de week en de maand, of een kookwekker zetten: het zijn allemaal fantastische methoden als ze voor jou werken, maar voor mij werken ze blijkbaar niet. De enige methode waarvan ik gemerkt heb dat ze effectief is, is deze twee vragen stellen: waar zeg ik 'ja' op, waar zeg ik 'nee' op?

Deze vragen halen je uit de tredmolen en laten je nadenken over wat een zinvol gebruik is van de beperkte tijd die je tot je beschikking hebt. Waardoor ga je je beter over jezelf en je dag voelen? 'Ja' zeggen tegen lunchen met een collega die je waarschijnlijk toch aan je kop gaat zeuren over zijn meest recente verbouwingscrisis betekent 'nee' zeggen tegen een uur werken aan je project. 'Ja' zeggen tegen een artikel afronden betekent 'nee' zeggen tegen iedere vijf minuten je e-mail bekijken en beantwoorden. 'Nee' zeggen tegen op het internet op zoek gaan naar goedkope hotels in Rome, voor het geval je daar ooit een keer heen gaat, betekent 'ja' zeggen tegen het afronden van je belastingaangifte.

Als je er vertrouwen in hebt dat je project voor jou de moeite waard is, kun je het microstappenplan aan het eind van dit hoofdstuk gebruiken (zie pagina 156). Dan kun je uitzoeken welke taken je moet vervullen om het waar te maken. Zet de idealist in jou op een zijspoor en plan deze activiteiten op een realistische manier in je dag of je week in.

Als je bijvoorbeeld niet echt een ochtendmens bent, loop je de kans dat je steeds maar weer op de sluimerknop slaat als de wekker om vijf uur 's ochtends gaat. Tegen zevenen rol je dan met een enorme hoofdpijn uit je bed doordat je twee uur lang elke tien minuten wakker geschrokken bent. En bovendien ben je boos op jezelf omdat het je alwéér niet gelukt is om op tijd wakker te worden voor je project. Zeg dan 'ja' tegen slapen en 'nee' tegen jezelf dwarszitten. Werk in plaats daarvan iedere ochtend om tien uur een half uur aan je project, of besteed er drie keer per week je lunchpauze aan, of stel specifieke uren in het weekend vast.

Voor mensen die moeite hebben om met hun tijd om te gaan, is het erg belangrijk om specifieke tijden op vaste dagen toe te wijzen aan hun project, in plaats van te wachten tot er op wonderbaarlijke wijze een gaatje in hun schema ontstaat. Gaatjes in schema's bestaan namelijk gewoon niet. Net wanneer je denkt dat je even tijd hebt, komt er alweer een karweitje tussen. En die karweitjes zijn net als onkruid. Een week nadat je in je tuintje bent begonnen te wieden, zie je dat alles net zo hard weer opkomt. Maar als je je project in je leven integreert alsof het een serie afspraken bij de tandarts is, zul je harder opschieten dan je ooit voor mogelijk hield.

Koop geen goedkope vliegtuigstoelen

Heel vaak hebben we de neiging om onze plannen en onze ambitie op een laag pitje te zetten terwijl we ons met de behoeften van andere mensen bezighouden. Het is net alsof we voor onszelf goedkope standbytickets reserveren en dan afwachten of we er nog bij kunnen terwijl alle andere mensen gewoon al in het vliegtuig gaan zitten.

We houden meestal veel meer rekening met anderen dan

met onszelf. De meeste mensen denken graag dat de enige reden dat we anderen boven onszelf plaatsen is omdat we nu eenmaal zo vreselijk sociaal zijn. En als we onszelf inderdaad de behoeften van gezinsleden, familie en werk zien combineren, wie zal ons dan zeggen dat dat niet zo is? Maar één of twee borrels later tijdens een gesprek over de offers die we brengen en we vertellen weer een heel ander verhaal. Het is gewoon veel gemakkelijker en een stuk minder gevaarlijk om de levens van andere mensen te plannen dan die van onszelf.

Natuurlijk geeft het een heerlijk gevoel als je andere mensen helpt om hun doel te bereiken. Als dat dan betekent dat we zelf aan de zijlijn blijven staan en zien hoe anderen vooruitgaan, dan moet dat maar. Dan kunnen we ons er in ieder geval op verheugen dat de mensen die we hebben gesteund ons zullen bedanken wanneer ze naar voren stappen om hun prijs in ontvangst te nemen. Maar er is wel een probleem met dit scenario. We laten namelijk de tijd verstrijken voor mensen die net zo belangrijk zijn en die ook wel een beetje hulp zouden kunnen gebruiken: wij zelf. En zo verandert in de loop der jaren ons vrijgevige gevoel in jaloezie en spijt.

In tegenstelling tot wat iedereen denkt, hoeft het honoreren van je eigen belangen niet te betekenen dat je die van anderen schaadt. Het is zelfs zo dat, als je jouw persoonlijke doelen prioriteit geeft, het op verrassende manieren goed kan zijn voor de mensen om je heen. Terwijl zij zich aanpassen aan jouw plannen, zullen ze zonder uitzondering ontdekken dat ze vindingrijker zijn en beter met hun eigen problemen kunnen omgaan dan ze hadden gedacht. Net als mensen die hun teen stoten minder hard vloeken als er niemand in de buurt is, roepen mensen die jou niet voortdurend tot hun beschikking hebben, minder vaak je hulp in en doen ze het toch prima.

Notitie voor jezelf

Ga mensen niet vertellen dat je je ambitie niet hebt kunnen waarmaken doordat zij je tijd hebben opgeëist. Niemand zal de schuld voor jouw frustratie op zich willen nemen. In plaats van een verontschuldiging of een beetje sympathie krijg je dan een standje over hoe je je leven beter had moeten plannen. De mensen die je de schuld geeft, zullen je verhalen vertellen over vrienden die net zulke hectische roosters hadden, maar toch hun doelen wisten te bereiken. Ze zullen je eraan herinneren dat de succesvolle schrijfster P.D. James haar misdaadromans begon te schrijven toen ze fulltime werkte en daarnaast ook nog eens voor haar kinderen en zieke echtgenoot zorgde. Ze zullen je om de oren slaan met: 'Niemand heeft gevraagd of je een martelaar wilde worden.' En om het je nog eens goed in te wrijven, zul je moeten toegeven – al is het maar in stilte – dat ze daar gelijk in hebben.

Mensen die hun regenboog kleuren, zullen je verzekeren dat er niets anders op zit dan 'nee, nu even niet' te zeggen tegen een aantal dagelijkse klusjes of verzoeken, zodat je 'ja' kunt zeggen tegen je afspraken met je project. Die dagelijkse klussen en verzoeken zijn net als eb en vloed: ze houden nooit op, dus zul je zelf af en toe uit het water moeten stappen.

De minuten van iedere dag zijn waar je leven uit bestaat. Jouw leven en jouw tijd zijn dezelfde dingen. Bewaak je tijd: ga er bedachtzaam mee om. Als je een idee hebt dat je wilt uitwerken, geef het dan onmiddellijk tijd, want een goed leven bestaat uit momenten die betekenis voor je hebben.

Samenvatting

- Het is nooit precies het juiste moment voor je idee, maar je hebt niet de luxe om het in de koelkast te zetten, want ideeën verliezen hun houdbaarheid als je ze te lang met rust laat.
- Als je op dit moment geen belangrijk onderdeel van je project kunt gaan uitvoeren, leg dan een onwrikbare datum vast voor wanneer je dat wel kunt gaan doen. Blijf ondertussen onderdelen van je plan uitwerken.
- Stel een schema voor je project vast, zoals je een aantal tandartsafspraken zou maken die je echt niet kunt overslaan.
- Als je vindt dat je geen moment te verliezen hebt, denk er dan aan dat wat je met ieder moment doet altijd een kwestie van kiezen is. Inventariseer waar je 'ja' en waar je 'nee' tegen zegt, iedere dag weer.

Oefening

Het microstappenplan: minder is meer

Waarom microstappen?

Dit sjabloon voor een microstappenplan (MSP) is een van de beste dingen die je kunt gebruiken om je te helpen je doel te bereiken. Het MSP werkt omdat het niet gebaseerd is op wat je zou *moeten kunnen* bereiken in een bepaalde periode, maar op wat realistisch is om van jezelf te verwachten, met alle eisen die er aan je tijd gesteld worden.

Hoe lager je verwachtingen zijn, hoe meer je voor elkaar krijgt. Als je je taak in kleine stukken hebt onderverdeeld en goed hebt omschreven, is de kans groot dat je hem afrondt en naar de volgende taak doorgaat. Hoe groter en minder omlijnd de taak is, hoe minder snel je de tijd, de energie en het enthousiasme ervoor zult vinden.

Bovendien is werken met een plan dat niet onderverdeeld is in microactiviteiten net als een wandmeubel van IKEA uitpakken en dan merken dat er geen handleiding bij zit. Je hebt het grote plaatje in gedachten, maar je weet niet zo goed waar en hoe. Als gevolg daarvan wordt het project waarvan je dacht dat het zo goed te doen was, nu overweldigend.

Denk in het klein, erg klein

De fout die mensen het vaakst maken wanneer ze hun plannen uitschrijven, is dat ze te groot denken. Ze breken hun actieplan op in een paar enorme taken, zonder de microstappen aan te geven die ze nodig hebben om van die ene mijlpaal naar de andere te komen. Hun plan kan springen van het ontwikkelen van webcontent naar de taak van veertig potentiële klanten benaderen, zonder dat er ook maar iets tussen ligt. Dat is geen plan, maar een veel te simpele, sterk ontmoedigende routekaart die meestal nergens toe leidt.

De uitdaging van een goed plan is om iedere belangrijke taak op te breken in kleine onderdelen. Stel een specifieke mijlpaal vast en werk vervolgens achteruit, waarbij je je afvraagt wat alle activiteiten zijn die je nodig hebt om die mijlpaal te bereiken.

Mijn mijlpaal is bijvoorbeeld dat ik veertig potentiële cliënten benader. Als ik dan in microactiviteiten denk, stel ik mezelf de vraag: 'Wat heb ik nodig om met succes die potentiële klanten te bereiken?'

Microstap 1: Ik moet online onderzoek plegen om een lijst van veertig contacten samen te stellen, met hun e-mailadressen en telefoonnummers.
Microstap 2: Ik moet een inleidende boodschap opstellen voor de mensen die ik van plan ben te e-mailen. Voor de mensen die ik ga bellen, moet ik een boodschap uitschrijven die ik op hun voicemail achterlaat voor het geval ze de telefoon niet opnemen.
Microstap 3: Ik moet een bepaalde tijd reserveren om de e-mails te versturen en de telefoontjes te plegen.
Microstap 4: Ik moet een tweede bericht opstellen om te sturen naar de mensen die niet hebben gereageerd op mijn eerste poging tot contact.

Wees realistisch, erg realistisch

Een plan waarmee je je voorbereidt op succes houdt er rekening mee dat iedere microstap die je onderweg zet, hoe klein ook, tijd en aandacht vereist. Daarmee gaat het microstappenplan verder dan de meeste planningsinstrumenten, door je te vragen realistisch in te schatten hoe lang elke taak zal duren en de dag en het tijdstip te specificeren waarop je de activiteit waarschijnlijk zult afronden. Op die manier boek je afspraken met je project in zoals je een serie afspraken met je chiropractor zou maken.

Als je tegen jezelf zou zeggen dat je 'ergens' volgende week of komende maand naar de dokter gaat, zul je er waarschijnlijk nooit heen gaan, al bedoel je het nog zo goed. In een druk leven is 'ergens' een eufemisme voor 'nooit'. Maar als je echt een datum en tijd prikt, heb je een afspraak. Daar hou je je aan, of als het nodig is, verzet je hem. De derde optie is dat je in je agenda kijkt, je afspraak daar ziet staan en ervoor kiest om die te negeren. Maar dat is dan in ieder geval totaal iets anders dan het in de loop van een zeer drukke week gewoon vergeten. Als je de afspraak negeert, is dat een bewuste beslissing om een afspraak die je met jezelf hebt gemaakt, niet te honoreren. Daardoor word je gedwongen onder ogen te zien wat je in plaats daarvan gaat doen, dat blijkbaar belangrijker is. De afspraak gewoon vergeten betekent dat het je niet eens lukt om stil te staan bij de keuze die je maakt: dat is een daad van onbedachtzaamheid.

In een microstappenplan is geen plaats voor optimisme. Om effectief een schema te maken, moet je extreem pragmatisch zijn. De ja/nee-kolom van het microstappenplan houdt er rekening mee dat er veel eisen aan je tijd gesteld worden en vraagt je van tevoren vast te stellen tegen welke onderbrekingen je 'nee' gaat zeggen en welke je wel toelaat. Door zorgvuldige beslissingen te nemen over hoe je je tijd wilt gebruiken, blijf je greep houden op je schema.

Voor de mijlpaal 'webcontent ontwikkelen' zou je MSP er zo uit kunnen zien.

Mijlpaal: webcontent ontwikkelen

Microstappen	Vereiste tijd	Datum en tijdstip	Ja/Nee	Afgerond
Wat moet je doen om je mijlpaal te bereiken en waarom moet je deze stap nemen?	Schat de tijd die je nodig hebt om de activiteit af te ronden heel ruim in.	Wanneer kan ik dit inpassen? Blijf realistisch en stel niet alleen een dag vast, maar ook een tijdstip op die dag om aan deze activiteit te besteden.	Waar ben ik bereid 'nee' tegen te zeggen op dat vastgestelde tijdstip? Welke onderbrekingen laat ik wel toe?	Vink af wat je hebt gedaan.
1. Bekijk de websites van tien concurrenten om vast te stellen welk soort informatie ze daarop hebben staan, wat hun *unique selling points* **zijn, enzovoort.**	3,5 uur	maandag 8 februari 12.00 – 13.00 uur woensdag 10 februari 8.00 – 9.00 uur vrijdag 12 februari 14.00 – 15.30 uur	lunchpauze aan mijn bureau 'ja' tegen naar huis bellen 'nee' tegen e-mail checken koffiedrinken aan mijn bureau 'nee' tegen e-mail checken 'ja' tegen telefoontjes van de financiële administratie	✔ ✔

2. Kijken wat goede kopjes en belangrijke mededelingen zijn, per onderdeel. Wat wil ik dat mensen meekrijgen op iedere bladzijde?	1,5 uur	maandag 15 februari 8.00 – 8.30 uur woensdag 17 februari 8.00 – 9.00 uur	eerder op kantoor komen 'nee' tegen e-mail koffiedrinken aan mijn bureau neem om 8.30 uur 5 minuten de tijd om e-mail te checken	✓ ✓
3. Schrijf het onderdeel 'Over ons' (ongeveer 200 woorden)	1,5 uur	donderdag 18 februari 8.00 – 9.30 uur	lees e-mails om 9.00 uur geen telefoontjes beantwoorden	✗ verzetten naar vrijdag 19 februari 12.00 – 13.30 uur

Eén MSP tegelijk

Ieder project wordt bedreigd door onze neiging om aan de voet van onze Mount Everest te gaan staan en ons af te vragen hoe we ooit de top kunnen bereiken. Dat lijkt allemaal veel te onwaarschijnlijk. De oplossing is om de kunst af te kijken van langeafstandslopers en wielrenners. Die denken alleen maar aan het halen van de volgende mijlpaal, niet aan de finish.
Als we op de eerste dag van een studie aan de universiteit alle boeken zouden krijgen die we de komende vier jaar voor al onze vakken moeten lezen, en daarnaast nog een lijst van alle essays

en opdrachten die we zouden moeten schrijven en al het materiaal dat we voor tentamens moeten leren, zouden we een paniekaanval krijgen en het al opgeven vóór de eerste koffiepauze. Hetzelfde gevoel zou je bekruipen als iemand het equivalent van drie jaar wasgoed van jouw huishouden ineens voor je neus zou storten en naar een wasmachine zou wijzen.

Een project is niet overweldigender dan de meeste andere dingen die we in ons leven moeten aanpakken. De truc is om een project op dezelfde manier aan te pakken als veel van die routinetaken: we kijken wat er hier en nu moet gebeuren en dat doen we dan. Schrijf maar één microstappenplan per mijlpaal per keer. Als je die mijlpaal hebt bereikt, schrijf dan het microstappenplan dat je nodig hebt om de volgende te bereiken. Dat is de enige manier om een berg te beklimmen.

11

Ja, maar ik heb er de energie niet voor

Martha is volgens eigen zeggen een luiwammes die desondanks haar ambitie heeft kunnen verwezenlijken. Iedereen die op een bepaald gebied zijn eigen regenboog wil kleuren, zou een poster van Martha moeten ophangen. Daarop ligt ze, net als altijd, op de bank en kijkt enigszins vermoeid. Ik ken geen betere manier om jezelf aan te moedigen.

Als Martha, die vaak zomaar ineens haar energie verliest, al de overgang kan maken van een fulltime baan in marketing naar een eigen bedrijfje als webconsultant, kan iedereen dat.

Toen ik Martha voor het eerst ontmoette, dacht ik hetzelfde als wat jij nu waarschijnlijk denkt: ja hoor, lekker makkelijk voor haar om rustig naar haar ambitie te slenteren. Zij heeft geen chaotisch huishouden, of een moeder die zich voor de trein dreigt te gooien als je haar niet twee keer op een dag belt, en een baas die als enige doel in het leven heeft om al zijn werk aan jou over te dragen. Maar Martha is de beschermheilige geworden van al die mensen met weinig energie, omdat ze wel degelijk vergelijkbare stressfactoren op haar bordje had.

Martha's succes mag dan misschien een beetje een wonder zijn voor die mensen die te moe zijn om hun doel door te zetten, maar het was echt geen geluk of tovenarij waardoor Martha haar doel bereikte, ondanks het feit dat ze geen energie had. Deze vrouw met wallen onder de ogen, die in haar leven nooit een bank is tegengekomen die ze kon weerstaan, heeft de verandering laten gebeuren door een energiebron aan te boren die toegankelijk is voor iedereen die zijn eigen regenboog niet kleurt. Martha putte namelijk uit de bron van frustratie. Haar diepgewortelde ergernis over haar werk gaf haar net genoeg energie om de boel in gang te zetten, zij het dan in een slakkengang.

Martha was niet erg gecharmeerd van het kantoorbestaan. Toen ze naar de toekomst keek, zag ze alleen maar meer van hetzelfde. Dat inspireerde haar om 's avonds e-learningcursussen te gaan volgen op het gebied van webdesign. Ze was nooit zo goed in het huishouden geweest en dus was haar huis een nog grotere puinhoop tijdens die overgangsjaren, waarin ze nieuwe vaardigheden leerde en experimenteerde met hoe ze haar eigen bedrijf kon promoten. En toch heeft iedereen, waaronder de vissen in het aquarium, het overleefd.

Vijf jaar later is de staat van Martha's huis niet merkbaar verbeterd en doet ze nog steeds liever een dutje dan dat ze werkt. Maar nu bepaalt ze wel mooi zelf wanneer ze werkt en vindt ze het heerlijk dat ze in haar pyjama kan werken als ze daar zin in heeft.

Het gezelschap van Martha is empowerend voor degenen die geen energieke types zijn. Als je haar bijvoorbeeld vertelt dat je die ochtend op de sportschool alleen maar een muffin bij de juicebar hebt gekocht, zal ze tegen je zeggen dat iedereen die naar de sportschool kan rijden, een parkeerplek kan vinden, vol overtuiging een bepaalde muffin uit kan kiezen en vervolgens weer verder kan gaan, duidelijk de hele wereld aankan. Ze is een welkome afwisseling voor die hyperactievelingen die verhalen vertellen over hoe ze hun bedrijf hebben uitgebreid terwijl ze ondertussen nog even wat ballroomdanstrofeeën en *fund raising*-prijzen hebben gewonnen. Als je dat hoort, kruip je toch liever weer terug in je bed en blijf je daar de komende twintig jaar?

Martha bewijst dat je echt niet veel energie hoeft te hebben om je regenboog te kleuren. Ik heb tientallen mensen met weinig energie op gesprek gehad die desondanks volledige projecten hebben afgerond. Hebben ze dan cafeïne geïnjecteerd, amfetaminen geslikt of zuivere zuurstof ingeademd? Welnee. Tenminste: niet dat ik weet. Nee, ze hebben inspiratie gevonden in het oude verhaal over de schildpad en de haas. Net als de schildpad bleven ze gewoon doorgaan, terwijl ze zich traag van de bank naar de computer naar bed bewogen.

In die fabel racet de turbo-haas vooruit en klopt zichzelf zo op de borst over zijn voorsprong dat hij onderweg even stopt voor een dutje. Hij wordt pas weer wakker als de schildpad de finish is gepasseerd. Mensen die weinig energie hebben, vinden het van nature heerlijk om die opgefokte actievelingen tot de knieën in hun stof achter te laten, of, aangezien ze eigenlijk niet hard genoeg gaan om stof te doen opwaaien, in hun snoeppapiertjes en plastic koffiebekertjes. Maar ja: in het echte leven doen die hyperactievelingen natuurlijk geen dutje. Gelukkig dan maar dat het kleuren van je eigen regenboog geen wedstrijd is.

In een discussie op internet vertelde Oprah Winfrey ooit dat ze zich herinnert dat, toen ze voor het eerst met haar eigen show begon, haar vaak werd gevraagd hoe ze vond dat ze het deed, vergeleken met andere populaire talkshows van die tijd. Die vraag wuifde ze dan weg door heel beslist te zeggen: 'Wij houden onze eigen wedstrijd.' Oprah legde daarbij uit dat, als je je voortdurend met anderen vergelijkt, dat je energie wegzuigt.

In haar boek *The Emotional Energy Factor* schrijft psychotherapeute Mira Kirshenbaum dat lichamelijke energie voor ten hoogste dertig procent bijdraagt aan je daadkracht en emotionele energie voor zeventig procent. Ze beweert dat je energie niet op dreigt te raken doordat je geboren bent met een kleine brandstoftank, maar doordat je leven door verschillende oorzaken – zoals een scheiding, een idioot volle agenda of schuldgevoelens – een lek in je tank heeft geslagen. Dat lek zou je het liefst dichten, maar wat doe je ondertussen, wanneer je een project onder handen hebt? Mensen die hun eigen regenboog kleuren, denken dan in het klein, heel erg klein.

De Chinese filosoof Confucius heeft als eerste gezegd dat de reis van een duizend mijl begint met die ene stap. Hij voegde daaraan toe: 'Het maakt niet uit hoe langzaam je gaat, zolang je maar niet stopt.' De afgelopen tweeduizend en nog wat jaar heeft iedereen, van de oude filosofen tot de hedendaagse motivatiesprekers, zijn eigen bijdrage geleverd volgens hetzelfde principe. Door de eeuwen heen hebben ze van de bergtoppen geschreeuwd: 'Als je niet veel energie hebt, neem dan gewoon één klein microstapje per dag.' Nou ja, dat is in ieder geval waar het op neerkomt.

Nu heb je misschien het vermoeden dat je het beter weet dan die wijzen en dat je ervan overtuigd blijft dat een klein beetje moeite erin stoppen je nergens naartoe zal leiden. Je denkt dat, doordat je het te druk hebt en veel te moe bent om iets te doen, het geen zin heeft om ook maar iets te doen. Maar volgens de harde feiten heb je daarin absoluut ongelijk.

Newtons wetten vallen niet te weerleggen

Kijk bijvoorbeeld eens naar Newtons wet van beweging, die, in een notendop, stelt: 'Actie is reactie.' Dat betekent: als je iets doet, zelfs al is het niet veel, gebeurt er iets. Maar als je niets doet, is Newtons wet van de traagheid van toepassing, die stelt dat zonder interactie van welke soort ook, dingen precies hetzelfde blijven: of dingen staan stil of ze blijven met dezelfde snelheid in dezelfde richting als voorheen bewegen.

Meer doen is daarom duidelijk beter. Het is bevredigender om op een dag of zelfs een week tien dingen van je te-doen-lijst af te vinken dan in dezelfde periode maar één vinkje te zetten. Toch kan het voor de vermoeide mens gewoon niet haalbaar zijn om in een korte periode tien taken extra te doen. Voor deze mens kan één vinkje per keer al meer dan genoeg zijn.

Mike, die inmiddels een importbedrijf voor Duitse etenswaren heeft, is daarvan het bewijs. Hij was een alleenstaande vader en hij verkocht radio's. Aan het eind van zijn werkdag was hij zo moe dat hij met zijn laatste restjes energie het eten op tafel zette, het huiswerk controleerde, zijn zonen naar hockey bracht en dan de was deed. Hij wilde graag een online-importbedrijf voor Duitse etenswaren opzetten, omdat hij dan vanuit huis zou kunnen werken, maar hij was te moe om iets anders te doen dan voor de televisie in elkaar te zakken. Bijna elke avond viel hij in slaap op de bank en werd dan pas 's ochtends weer wakker.

We werkten samen een plan uit waarin Mike, terwijl hij laat op de avond naar sport zat te kijken, met zijn laptop op zoek zou gaan naar websites die hem de informatie zouden geven die hij nodig had over het importeren van houdbaar voedsel, toeleveranciers, verzendkosten, regelgeving, etikettering, enzovoort. We spraken af dat hij de sites niet eens hoefde te lezen. Hij hoefde alleen maar te kijken of ze relevant waren en ze dan onder 'favorieten' te zetten. Om de taak zo laagdrempelig mogelijk te maken, spraken we af dat hij zijn laptop uit zou zetten wanneer de sportprogramma's waren afgelopen, zelfs als hij dan nog niets had gevonden dat de moeite waard was om bij zijn favorieten te zetten.

En toen gebeurde er iets grappigs met Mike terwijl hij

aan het googelen was. Hij begon aanvallen van enthousiasme te krijgen die hem onverwachte stootjes energie gaven. Hij merkte dat hij tijdens zijn lunchpauze aan zijn bureau bleef zitten om de sites te gaan lezen die hij bij zijn favorieten had gezet. En op een avond markeerde hij een site niet alleen, maar las hij hem helemaal door tot aan de contactpagina, en daarna schreef hij een e-mail terwijl de sportverslaggevers de voetbaluitslagen gaven. De e-mail die hij daarop terugkreeg, zette hem weer aan om de gemeente te bellen om uit te zoeken wat de regelgeving was over het opslaan van houdbare goederen in zijn kelder. Bij de gemeente zeiden ze tegen hem dat hij daarvoor een formulier moest downloaden. Dat vulde hij een week later in terwijl de sportverslaggevers commentaar op het voetbal gaven.

Ongeveer vier maanden later bleef Mike op nadat het sportprogramma al was afgelopen, om op eBay op een etiketteermachine te bieden die hij nodig had voor zijn bedrijf. Binnen vijf maanden besteedde hij iedere lunchpauze aan het bedrijf en leverden zijn sportprogramma's 's avonds de achtergrondgeluiden terwijl hij werkte. Na twintig maanden had hij zijn Duitse importbedrijf op poten gezet.

De ene microactie leidt tot de andere

Zelfs in de kleinste actie zit een energie opgesloten, die natuurkundigen 'kracht' noemen en die een andere actie of reactie oproept. Dat is geen nieuws voor mensen die vaak in de sportschool komen. Vroeger ging ik 's ochtends vroeg naar de sportschool, met een paar verwante zielen die ook niet zo dol waren op het voor dag en dauw opstaan, en die net als ik duizend keer liever thuis in bed waren gebleven. Ieder van ons stapte dan met tegenzin op die loopband, voelde zich uitgeput, doodmoe en kapot, of zoals een man het altijd zei: 'Dood, zo dood als een pier.' En elke dag kondigden we aan dat we het echt niet langer dan drie minuten zouden volhouden. Toch merkten we altijd weer dat we uiteindelijk twintig minuten aan het joggen waren. Als we dan eenmaal waren begonnen, nam onze energie op wonderbaarlijke wijze toe.

Mensen die niet zo gauw staan te stuiteren van de energie, maar wel hun eigen regenboog kunnen kleuren, vertellen dat er twee juweeltjes van kennis zijn die hun als sterke handen een duwtje in de rug geven.

1. Energie creëert energie. Een kleine actie roept uiteindelijk een kracht op waarvan je nooit had gedacht dat je die in je had. Die bouwt een impuls op en terwijl je bezig bent, nemen snelheid en kracht toe.
2. Alleen al een minuutje visualiseren kan je motor aan het draaien krijgen. Het gevoel dat je krijgt wanneer je je voorstelt dat je je doel bereikt, werkt als een stoot adrenaline.

Visualiseren wordt al een tijdje aangeprezen als hét geheim voor succes. De theorie is dat wanneer je helder voor ogen houdt wat je wilt, je onderbewuste er samen met je bewustzijn aan werkt om het ook daadwerkelijk voor elkaar te krijgen.

Toen ik voor het eerst leerde autorijden, zei mijn instructeur dat ik met mijn ogen moest sturen, niet met mijn handen. 'Kijk naar waar je heen wilt gaan,' zei hij dan, 'en dan zullen je handen het stuur bewegen om je daarheen te brengen.' Visualisatie volgt hetzelfde principe. Stel vast wat je wilt, zie het in gedachten voor je, geloof dat het al zo is en dan zal het creatieve gedeelte van je geest je inspireren om actie te ondernemen zodat je het voor elkaar krijgt. Deze beproefde techniek, die door alle hogeprestatie-experts wordt onderwezen, gebruikt iedere atleet vlak voor een sportevenement. En ook mensen die hun regenboog kleuren, gebruiken deze.

Een van mijn cliënten, Gemma, heeft een drukke baan bij de televisie, een veeleisend gezin en een verlangen om alleen maar te lezen. Ze is er nog steeds van onder de indruk dat het haar is gelukt om eerst haar hele appartement op te ruimen en het daarna te schilderen. Ze had een prachtig beeld in haar hoofd van hoe ze aan het relaxen was in een appartement dat eruitzag en voelde als een kamer in een elegant hotel. Dat beeld gaf haar genoeg energie om de microstappen te zetten die nodig waren om haar werkelijkheid te veranderen. In die tijd leek haar woonkamer op een uitpuilende tweedehands boekenwinkel en haar slaapkamers op souvenirstalletjes aan de kant van de weg in een ver land. Ze begon de transformatie door niet veel meer te doen dan iedere zaterdagochtend vijf boeken uit te kiezen om aan de bibliotheek te schenken.

Op de vijfde zaterdag ging ze met haar hele gezin boeken in dozen gooien om weg te brengen. Op de zesde zaterdag stouwde ze de achterbank van haar auto vol met tassen met tijdschriften, schilderijlijsten, lampen, thermoskannen, theepotten, jassen en oude schoenen. Na nog een aantal weken rondrijden zonder door het achterraam te kunnen kijken, bracht ze haar vrachtje naar de kringloopwinkel. Gemma heeft me verteld dat er nu alleen nog een enkele kaars op haar koffietafel staat.

Notitie voor jezelf

De helft van de tijd praten we onszelf moe. Probeer dit experiment eens. Loop je rommelige werkkamer eens binnen of ga zitten met 95 ongeopende e-mails voor je die met je werk te maken hebben en zeg tegen jezelf: 'O, wat ben ik toch moe! Ik kan het nauwelijks opbrengen.' Kijk eens of je daar slaperig van wordt. En probeer nu eens dit: iedere keer dat iemand je vraagt hoe het met je is, antwoord je dat je doodmoe bent. 's Avonds kun je nauwelijks meer de puf opbrengen om je tanden te poetsen. Meestal bieden we niet echt veel weerstand aan negatieve gedachten, en dus kleven ze al snel heel gemakkelijk aan je vast. En ondertussen moet een positieve gedachte een marathon afleggen voordat we die accepteren. Maar toch, als je jezelf maar blijft vertellen: 'Ik voel me prima!' dan zul je je ten minste een stuk beter voelen dan wanneer je jezelf tien keer op een dag vertelt dat je helemaal kapot bent.
We zijn zo energiek als we denken dat we zijn. En hoe we denken, wordt gemakkelijk beïnvloed door wat we te horen krijgen. Als collega's, nadat we een nacht lang doorgewerkt hebben, ons vertellen dat we er evengoed geweldig uitzien, kikkeren we daarvan op. Aan de andere kant kunnen we ons geweldig voelen tot een collega eruit flapt: 'Nou zeg, jij ziet er ook uit alsof je wel een vakantie kunt gebruiken!' En daar gaat de energie. Nu voelen we ons alleen maar uitgeput. Om je energie te beschermen, moet je degenen die het heerlijk vinden om tegen je te zeggen hoe moe, bleek, uitgeput en gestrest je eruitziet, afkappen. Probeer deze strategie eens: 'Hé, maak je niet druk, dat ligt niet aan mij. In dit licht ziet niemand er goed uit.'

Je eigen regenboog kleuren door jezelf kleine taken voor te houden die zo je zo min mogelijk belasten, is dé manier als je iemand bent die al snel moe wordt van de eisen van het dagelijks bestaan. Maar hoe effectief en haalbaar je microstappenplan ook is, het zal niet werken als je die stappen niet ook daadwerkelijk neemt.

Vaak stellen mensen zich kleine beloningen in het vooruitzicht voor als ze een microstap nemen terwijl ze liever op de bank zouden hangen. Als je jezelf kunt dwingen om dertig minuten hard te werken in ruil voor vijf minuten met Ben & Jerry's ijs, haal dat ijs dan in huis en ga aan de slag.

Maar voor de meeste mensen werkt die worteltechniek na een tijdje niet meer. Dat komt doordat op een gegeven moment de beloning de moeite niet meer waard lijkt. Ja, de eerste week ben je wel gemotiveerd om te doen wat je moet doen om daarna met een bakje ijs op de bank te mogen zitten. Maar na twee weken ben je misselijk van al dat ijs en heb je je buik wel vol van dat beloningssysteem.

Laat je gebrek aan energie en je ambitie niet met elkaar in debat gaan

Op een bepaald moment zul je je moeten afvragen: 'Wil ik dit idee echt verwezenlijken?' Als je besluit dat je dat inderdaad wilt, is de volgende vraag: 'Ben ik bereid de stappen te nemen die nodig zijn om mijn idee te verwezenlijken?' Als je antwoordt: 'Ja, dat wil ik', is de discussie voorbij. Dan heb je je besluit genomen. Zodra je je antwoord hebt, hoef je jezelf niet steeds maar weer die vraag te stellen. Mensen die hun eigen regenboog kleuren, zullen je verzekeren dat zodra je besloten hebt om iets te doen, je je niet meer voortdurend moet afvragen of je wel *zin* hebt om iets te ondernemen.

Ik heb een wedstrijdroeier gekend, die me door zijn voorbeeld heel goed heeft geleerd hoe je je regenboog kunt kleuren ondanks het feit dat je weinig energie hebt. Tenzij hij griep heeft, kun je Evert bij zonsopgang op het meer vinden, zeven dagen per week. Het maakt niet uit hoe laat hij de avond ervoor naar bed is gegaan, of hij hoofdpijn heeft of niet, blaren op zijn handen heeft of later die ochtend een belangrijke vergadering heeft. 'Als ik mezelf iedere ochtend zou afvragen of ik vandaag wel zin heb om op te staan en te gaan roeien, zou ik waarschijnlijk maar twee keer per week op dat meer te vinden zijn,' zegt hij. 'Maar ik heb mezelf de vraag gesteld of ik daar elke ochtend voor zou opstaan voordat ik bij de roeiclub ging. Toen heb ik mezelf dat afgevraagd, toen heb ik erover nagedacht en toen heb ik daar antwoord op gegeven. Ik ga mezelf niet steeds maar weer dezelfde vraag stellen.'

Decennia geleden, lang voordat Nike de slogan '*Just Do It*' lanceerde, gebruikte een groep professionele balletdansers precies die woorden om uit te leggen hoe ze zichzelf iedere dag naar de oefenstudio sleepten terwijl hun lichamen pijn deden en hun tenen vol blaren zaten. 'We doen het gewoon,' zegt een van hen. 'We gaan niet stilstaan en onszelf afvragen of dit wel een goede dag voor ons is om te oefenen. Als dansers zich dat iedere dag zouden afvragen, zou het nooit tot een première komen.'

Als je eenmaal de beslissing hebt genomen om een microstappenplan te volgen, vraag je dan niet af of je wel de energie hebt om de taak van die dag ook daadwerkelijk uit te voeren. Neem die stap gewoon, zelfs als je je er een weg doorheen moet gapen. Het is namelijk veel minder vermoeiend om gewoon door te gaan en te doen wat je met jezelf hebt afgesproken dan om de vraag drie keer om te draaien en met het schuldgevoel om te gaan dat ontstaat doordat je de stap niet genomen hebt.

Samenvatting

- Je hebt niet veel energie nodig om je regenboog te kleuren, want zoals de wetenschap heeft bewezen, roept zelfs de kleinste actie al een of andere reactie op, zodat je er zeker van kunt zijn dat je in beweging blijft.
- Eén microstap per keer brengt je naar je bestemming en aangezien je eigen regenboog kleuren geen wedstrijdje is, maakt het niet uit hoe lang je erover doet.
- De truc om vooruit te blijven gaan, zelfs wanneer je loodzware benen hebt, is het door jou gewenste resultaat te visualiseren.
- Wanneer je besluit dat je je doel wilt bereiken, vraag je dan niet voortdurend af of je wel energie genoeg hebt voor de taak. Je hebt het antwoord al gegeven toen je vaststelde dat je je eigen regenboog wilde kleuren.

Oefening

De laatste rage in persoonlijke brandstof: stenen gooien

Je energie laten toenemen is eigenlijk helemaal niet moeilijk, tenminste niet volgens talloze tijdschriftartikelen over dat onderwerp. Blijkbaar komt het allemaal hierop neer: gezonder eten, meer slapen, minder stressen en dagelijks aan lichaamsbeweging doen. Wat is daar nou zo moeilijk aan? Niets, als je tenminste in een prachtig wellnessresort woont. Maar als dat niet zo is, merk je misschien dat je net even een beetje te moe bent om een zeevruchtenpaella in elkaar te draaien na een lange dag op kantoor en ben je net een beetje te moe om je bed uit te springen voor een yogasessie. Het probleem is dat je energie moet verbruiken om energie te krijgen. En veel mensen hebben geen druppeltje brandstof over.
Gelukkig is er een energiebewarende oefening die je kunt doen terwijl je op de bank hangt. Ik noem deze oefening 'met stenen gooien'. Deze is gebaseerd op het eenvoudige feit dat, terwijl aangename taken en interacties je energie geven, nare taken en interacties je uitputten. Het zou geweldig zijn als we alle vervelende mensen en activiteiten uit onze dag konden bannen, maar dat zal wel nooit gebeuren. Toch kun je het onaangename in ieder geval in het onverschillige veranderen.
Wanneer je onaangename activiteiten neutraliseert, trekken ze je reserves niet meer leeg. Je haalt de macht van de taak of de interactie weg om jou kwaad, van slag of gedeprimeerd te maken. Op die manier wordt een activiteit waar je tegenop ziet niets anders dan benzine tanken bij een zelfbedieningsstation op een koude en regenachtige dag. Dat is niet echt leuk, maar je gaat er ook niet dood aan.

Met stenen gooien helpt je om de brandstof in je tank te houden, in zes gemakkelijke microstappen.

Stap 1: Ga gemakkelijk zitten. Het maakt niet uit waar, wanneer of hoe je dat doet.

Stap 2: Maak een lijst van alle stressvolle taken en interacties waar je tijdens een gemiddelde doordeweekse dag moe van wordt.

Stap 3: Stel elk van deze vervelende activiteiten voor als een zware steen die je de hele dag met je meesjouwt in je rugzak. Je wordt er zo door omlaag getrokken dat je je maar nauwelijks naar de koffiebar kunt slepen.

Stap 4: Stel je nu voor dat je één van die stenen uit je rugzak haalt. Eentje maar. Denk goed na over deze steen en beantwoord deze vragen:

- Voor welke onaangename taak of interactie staat deze steen?
- Wat is het doel van deze taak of deze interactie?
- Wat is er met deze activiteit of interactie waardoor ik er zo door van slag raak?
- Als ik nu eens zou besluiten dat ik niet van slag raak, wat zou er dan veranderen?
- Is er iets wat ik kan doen om deze taak of interactie minder vervelend voor mezelf te maken?

Stap 5: Nadat je hebt vastgesteld hoe je je nare gevoel bij die activiteit of interactie weg kunt nemen, moet je je voorstellen dat je de steen die daarvoor staat, in een meer gooit. Weg ermee! Je moet de taak nog steeds doen, maar je zult er niet meer zo door neergedrukt worden en je energie kwijtraken wanneer hij niet meer in negatieve gevoelens is ingebed.

Stap 6: Je moet je niet verplicht voelen om veel stenen tegelijk weg te gooien. Daar word je veel te moe van. Eén steen per dag of zelfs per week is al goed genoeg. Op de lange duur zul je merken dat je meer energie hebt om aan het project te besteden dat je belangrijk vindt.

12

Ja, maar ik heb er geen geld voor

Als je het geld had, zou je het wel doen. Als je alleen het geld maar had! Dan zou het geen probleem zijn om wat je bent begonnen, af te maken. Als je maar het geld had, zou je je idee zonder pardon van A tot Z uitvoeren. Klinkt dit je bekend in de oren?

De meesten onder ons zijn geen miljonair. Voor ons is het geld dat we met ons werk verdienen of hebben gespaard, ons appeltje voor de dorst. Als we dat aanspreken, kunnen we 's nachts niet meer slapen. En dat is wel een probleem, want in sommige ideeën moet je een hoop geld investeren. Wat moeten al die mensen doen die geen duizenden euro's onder hun matrassen hebben liggen? Ze blijven lekker praten over het geweldige idee dat ze zouden uitvoeren als ze het geld maar hadden.

Toch zijn er duizenden mensen die hun doelen hebben bereikt zonder ooit uitpuilende bankrekeningen te hebben. Het mag dan verleidelijk zijn om te klagen dat achter ieder succes een suikeroom of -tante steekt die diep in de buidel heeft getast, maar dat is gewoon niet waar. Alle verhalen over krantenjongens en miljonairs vormen het bewijs dat niet zozeer geld het verschil maakt, maar of je je eigen regenboog weet te kleuren.

Ja, natuurlijk maakt een hoop extra geld het veel minder eng om een bedrijf te starten, terug naar school te gaan of een vakantiehuis te kopen. Degenen onder ons die geen appeltje voor de dorst hebben, moeten nu eenmaal een veel groter risico nemen. En die vragen zich af of ze het er wel op moeten wagen. Er wordt wel gezegd dat verstandige mensen hun appeltje voor de dorst niet zomaar opeten. Maar aan de andere kant zou je ook kunnen zeggen dat een flinke streep door je ambitie zetten ook niet de verstandigste manier is om een bevredigend leven te leiden.

Mensen die hun eigen regenboog kleuren, zullen je vertellen dat geld uitgeven om daarmee te proberen je doel te bereiken geen bevlieging of decadentie is. Het is een investering in je toekomst. Je bent iets aan het opbouwen. En het kost geld om dat op te bouwen. Dat is absoluut zenuwslopend wanneer je niet in het geld zwemt. Je kunt desondanks de uitgave verantwoorden als je accepteert dat je iets ontwikkelt wat de moeite waard en belangrijk voor je is. Maar dan moet je wel de kleine lettertjes lezen op het contract dat je met jezelf sluit: je kunt geld in je ambitie steken als, en alleen als je het plan ook doorzet. Als je dat niet doet, is het weggegooid geld.

Als je door in je idee te investeren de hypotheek niet meer kunt betalen, moet je het idee uiteraard in de kast leggen, voorlopig. Ga weer terug naar af en kijk hoe je het extra geld kunt verdienen dat je nodig hebt om je plan te financieren (de spaarpot voor de studie van je kinderen plunderen is geen optie). Maar als het je lukt om de noodzakelijke onkosten te betalen en je toch nog twijfelt over de uitgaven, moet je jezelf deze vraag stellen: 'Wat is belangrijk voor mijn toekomst?'

Iris was zo uitgekeken op haar werk dat ze iedere ochtend in de metro als een hittezoekende raket de ziekst uitziende reiziger uitzocht om naast te staan. 'Ik wilde graag verkouden worden of griep krijgen,' biechtte ze op. 'Want als ik ziek werd, hoefde ik tenminste niet naar mijn werk.'

Wanneer koorts en hoesten je als muziek in de oren beginnen te klinken, weet je dat het tijd is om over een verandering in je leven na te denken. Wat Iris betreft: ze hoopte dat ze uiteindelijk haar hobby, accessoires maken van tweedehands kleding, tot een fulltime baan kon maken. Maar om de vraag naar haar producten op te bouwen, moest ze wel iets aan marketing doen. Ze moest een website ontwikkelen. En ook wilde ze haar vakantietijd gebruiken om op een aantal grote winterbraderieën in een paar belangrijke steden haar koopwaar te laten zien. Voor die plannen had ze geld nodig.

Als je een lijst zou maken van de twintig stoutmoedigste plannen die iemand in zijn leven kan ondernemen, zou geld opnemen van een spaarrekening om een nieuw bedrijf op te starten ergens staan tussen voor de stieren uitrennen in Pamplona en stand-up comedian zijn.

Iris omschreef zichzelf als iemand die helemaal niet van risico's houdt. Ze moest er niet aan denken om naar tropische oorden te reizen, omdat de kans op malaria of een infectie door een parasiet haar absoluut afschrikte. Ze kon zich niet voorstellen dat ze zo onverstandig zou zijn om naar een nieuwe kapper te gaan, tenzij die heel veel indrukwekkende aanbevelingen zou hebben. Een nieuw restaurant uitproberen is ongeveer het avontuurlijkste wat Iris zou ondernemen. En daarom was het idee om een zuurverdiende 15.000 dollar van haar spaarrekening op te nemen om haar droom te ontwikkelen genoeg om een paniekaanval bij haar op te roepen.

'Maar wat gebeurt er als je dat niet doet en gewoon doorgaat met je leven zoals het nu is?' vroeg ik haar.

Iris haalde haar schouders op. 'Dan blijf ik steken in een baan die ik vreselijk vind en maak ik zo nu en dan gratis accessoires voor vriendinnen. En dan blijf ik maar hopen dat de mond-tot-mondreclame zijn werk doet, zodat ik uiteindelijk genoeg bestellingen krijg om die baan op te zeggen.'

'Maar je hebt toch gezegd dat je die mond-tot-mondreclame nog wel een impuls kunt geven als je iets aan marketing doet en op een paar van die drukbezochte ambachtsmarkten kunt staan?' vroeg ik.

'Ja, dat denk ik wel. Ik heb niet zo'n groot netwerk en de meeste mensen die ik ken, hebben het niet zo breed, dus op dit moment werkt die mond-tot-mondreclame eigenlijk nauwelijks. Ik denk dat ik het best al mijn koopwaar kan laten zien. Dat voel ik gewoon.' En daarna zweeg Iris net lang genoeg om de twijfel weer bij haar binnen te laten sluipen. 'Maar ja, ik kan het natuurlijk mis hebben.'

'Dan is hier de kernvraag voor jou,' zei ik. 'Heb je redenen om aan te nemen dat deze investering je dichter bij je doel zou brengen?'

'Ja, ik denk dat ik mijn accessoires echt op de markt moet brengen om uiteindelijk fulltimedesigner te worden.'

Ik had het idee dat ze daar zo snel mogelijk mee moest beginnen, omdat Iris het zich niet echt meer kon veroorloven om zich ziek te melden op haar werk. Maar toch moest ik de volgende vraag nog stellen: 'Als je dat geld aan winterbraderieën besteedt en toch niet de resultaten krijgt die je wilt, wat heeft het je dan opgeleverd?'

Iris trok een grimas. 'Depressie, verdriet, pijn en ellende.'

'Oké, een beetje depressie en verdriet: daar kan ik inkomen. Maar met de pijn en ellende zal het wel meevallen.' Ik stond op het punt om mijn vriend te citeren, die op al mijn geklaag heel irritant antwoordt met: 'Ach meid, zolang je gezond bent, is er niks aan de hand,' maar toen besefte ik dat, als het Iris niet zou lukken, ze waarschijnlijk liever zou solliciteren naar een longontsteking dan zich weer op haar baan storten.

'Laat me het dan eens anders formuleren,' zei ik voorzichtig. 'Als het niet wordt wat je ervan had verwacht, wat heb je dan geleerd?'

Het duurde even voordat Iris antwoord kon geven, maar uiteindelijk zei ze: 'Dan zou ik erachter zijn gekomen welke items niet verkopen en waarom niet.'

Ik was erg enthousiast over wat Iris niet zei. Ze zei namelijk niet dat ze zou leren dat ze gewoon niet goed was in ontwerpen of dat haar idee gedoemd was te mislukken. In plaats daarvan dacht ze precies als mensen die hun eigen regenboog met succes kleuren. Ze had blijkbaar in ieder geval het kritische inzicht verworven waarmee ze haar werkwijze verder kon uitwerken.

Iris besefte dat, als ze de braderieën als haar testmarkt zou gebruiken, ze de hele onderneming anders zou benaderen. Als ze op die braderieën niet veel verkocht, zou ze met het winkelend publiek gaan praten om hun mening te vragen over een hele serie onderwerpen, waaronder prijzen. Wat het resultaat ook was, ze zou er iets van leren en dat zou een bijdrage aan haar bedrijf leveren.

Iris liet zien dat ze veel moed had toen ze cheques stuurde naar twee braderieën om daar standruimte te reserveren. Ze ging door de grond van de zenuwen, maar ze profiteerde ook onmiddellijk van de bijkomende voordelen van investeren. Wanneer je namelijk diep in je eigen zakken graaft, zeg je tegen jezelf en tegen iedereen die het maar wil horen dat je je ambitie serieus neemt. Voor degenen onder ons die het zich niet kunnen veroorloven zomaar geld uit te geven, is de investering van al die euro's een daad die ons bindt aan ons plan. Het is gemakkelijk om een idee los te laten dat geen cent heeft gekost. Het is veel moeilijker om een idee te laten varen waar je veel geld voor hebt neergeteld. Iris heeft vier zware jaren doorstaan tot ze op het punt kwam waarop ze haar baan kon opzeggen en genoeg geld kon verdienen om van haar ambacht te leven.

Ambitie is als een baby: het kost tijd en geld om hem te voeden

Mensen die hun eigen regenboog kleuren, beschouwen hun project als een pasgeboren kindje in hun gezin. Zonder de andere kinderen te benadelen, moeten ze voor het nieuwe kindje betalen en elke dag uren vrijmaken om het te verzorgen.

Sommigen van mijn cliënten gaan parttime werken om tijd vrij te maken voor hun projecten. Die financiële druk voelen ze wel. Zelfs degenen die een tijdje van hun spaargeld konden leven of door hun echtgenoot werden onderhouden, zeggen dat het zweet in hun handen stond als ze geld bij de bank opnamen. De meesten hebben het gevoel dat ze bezoekjes aan de kapper of hun middagen op de golfbaan moeten opgeven. Sommigen geven zelfs de caffè lattes op, maar dat komt heel zelden voor.

Je kunt niet ontkennen dat mensen die hun werkdagen besteden aan het uitwerken van hun idee daarvoor vaak een prijs betalen in zorgen. Ze maken zich druk over het geld, ze maken zich zorgen dat anderen hen voorbij zullen streven, en ze maken zich druk over het eten, omdat ze het zich niet meer kunnen veroorloven om Chinees te laten bezorgen. Hun zorgen lijken sterk op die van de ouder die besluit thuis te blijven om voor het jonge kind te zorgen, behalve dan dat die ouders 's nachts ten minste met een gerust hart kunnen slapen omdat ze hun financiële opoffering voor zichzelf en de buitenwereld kunnen rechtvaardigen. Neem dan maar een voorbeeld aan hen en beschouw het als een soort ouderschapsverlof dat je een idee voedt dat op eigen benen moet leren staan.

Notitie voor jezelf

Geld uitgeven aan dingen wordt eerder aanvaard dan geld uitgeven aan ideeën. Mensen zeggen 'ooh' en 'aah' wanneer je flink veel geld uitgeeft aan een dure sportauto of een thuisbioscoop die de hele muur beslaat, maar als je vertelt dat je je geld investeert in je ambitie, krijg je alleen maar een sceptisch 'Veel succes' toegewenst. Het is moeilijk om een vakantie, een nieuwe auto of verhuizen naar een groter huis op te geven voor je droom. Niemand vindt het leuk om een tastbaar ding of een cruise op de Middellandse Zee in te ruilen voor de mogelijkheid dat er eventueel iets zou kunnen gebeuren. Maar vraag jezelf dit af: 'Welke keuze zou me helpen om de toekomst te bereiken die ik wil?'

Je maag draait zich om als je veel geld neerlegt voor een advertentiecampagne of een stalletje op een jaarbeurs, terwijl je geen idee hebt of die investering direct iets oplevert. Je wilt natuurlijk geen cent uitgeven zonder eerst marktonderzoek te doen naar de vraag of je idee wel levensvatbaar is en kans van slagen heeft. Maar als je vervolgens goede aanleiding hebt om daarvan overtuigd te zijn, vraag je dan af of je spijt zou krijgen als je er niet voor zou gaan. Natuurlijk, er hangt een prijskaartje aan iets opbouwen voor je toekomst en het kan jaren duren voordat je dat geld terugverdient. Maar je betaalt ook een prijs als je je idee niet doorzet.

Wanneer angst je ervan weerhoudt om te kopen wat je echt nodig hebt om verder te gaan, haal dan diep adem en herinner jezelf eraan waarom je project veel voor jou betekent en belangrijk is voor je toekomst. Wanneer je genoeg geld hebt om in je basisbehoeften te voorzien, maar nog steeds huiverig bent om een euro in je idee te investeren, is je struikelblok blijkbaar niet het geld, maar de angst. Wat als er nu nooit iets terechtkomt van je grote plan? Wat als het niets oplevert, over vijf jaar niet en nooit?

Waar kun je op bouwen?

Mensen die hun regenboog kleuren, zullen je meestal al snel vertellen dat er geen garanties zijn. Het enige waar je op kunt bouwen is een redelijke inschatting van hoe een bepaalde uitgave je zou kunnen helpen dichter bij je doel te komen. Soms is je beslissing om wat geld uit te geven een heel goed idee en soms komen je verwachtingen nu eenmaal niet uit.

Laten we dus eens goed kijken naar wat er in het ergste geval zou kunnen gebeuren. Je stopt geld in je idee, je hebt je regenboog gekleurd en je hebt er helemaal niets aan verdiend. Je hebt fulltime aan je ambitie gewerkt en toch is het niet gelukt. Wat gaat er nu gebeuren? Moet je nu in een kartonnen doos gaan wonen? Zul je zo lang als je leeft nooit meer een cent verdienen? Nee, natuurlijk niet.

Als je je baan opgeeft, zul je dan ooit weer een baan vinden? Ja natuurlijk. Volgens de wet van de grote aantallen zul je, als je in het verleden een baan hebt gevonden, er ooit nog wel weer een vinden. Je komt nu niet om van de honger, in het verleden kwam je niet om van de honger, dus waarom zou het je lot zijn dat je morgen van de honger omkomt?

Mensen die hun eigen regenboog kleuren, weten dat ze goed zijn in overleven. Ze weten dat ze de macht hebben om dingen naar hun hand te zetten in hun leven. Ze durven de tijd en het geld te besteden die ze nodig hebben om hun eigen regenboog te kleuren, omdat ze zeker weten dat wat er ook gebeurt, ze altijd wel een manier zullen vinden om weer goed terecht te komen. Ze zijn niet blind voor hun financiele realiteit. Ze wachten niet tot ze bijna failliet zijn voordat ze een tandje hoger gaan en op zoek gaan naar inkomsten, maar ze geven zichzelf wel toestemming om in hun potentieel te investeren.

Op het moment dat je geld in een idee stopt om het uit te kunnen voeren, stap je in een achtbaan. Maar net als alle activiteiten die je onderneemt om je regenboog te kleuren, zal ook dit ritje je ergens anders heen brengen dan terug naar het instappunt, wat er ook gebeurt. Je eigen regenboog kleuren is net als aan een of ander zeer intensief trainingsprogramma beginnen. Als je een tijdje flink gezweet hebt, kom je erachter hoeveel je al hebt bereikt, en wat nog belangrijker is: hoeveel je eigenlijk aankunt.

Eigenlijk lijk je een beetje op een filosofiestudent. Filosofie wordt beschouwd als een van de moeilijkste studies. Maar de vraag die de meeste mensen aan filosofiestudenten stellen, is niet: ‘Wat is de zin van het leven?’ maar: ‘Waarom zou je duizenden euro’s uitgeven en jaren hard werken voor een titel die nergens toe leidt?’ Het antwoord op dat raadsel ligt in de statistieken die universiteiten bijhouden. Hun gegevens laten zien dat, hoewel er maar weinig afgestudeerden in de filosofie uiteindelijk les gaan geven in hun eigen vakgebied, de meesten topprestaties leveren in welke baan ze ook maar hebben. En dat is te danken aan hun hogere creatieve denkvaardigheden. De studie filosofie is niet goedkoop, maar je hebt er je hele leven lang plezier van. Hetzelfde geldt voor wat je leert als je je eigen regenboog kleurt. Dat zal je voor de rest van je leven van pas komen.

Samenvatting

- Investeren in je idee is niet onverantwoordelijk of een uitspatting. Je bent bezig je toekomst op te bouwen. Geef jezelf toestemming om te investeren in je potentieel.
- Natuurlijk wil je niet je gezin aan de rand van de afgrond brengen, maar misschien moet je wel kijken of je een paar offers moet brengen om te kunnen bereiken wat je wilt.
- Een idee ontwikkelen is als een kind grootbrengen: je hebt er tijd en geld voor nodig.
- Besef dat zelfs als het allerergste gebeurt en je idee financieel niets oplevert, je toch een hoop geleerd zult hebben van de ervaring. En in ieder geval zul je het wel overleven.

Oefening

In jezelf investeren

Een ambitie doorzetten gaat vaak samen met een of ander prijskaartje. Maar er zijn dingen in het leven die nu eenmaal de moeite waard zijn om in te investeren: een goede matras, een betrouwbare auto, luxe chocolade en een plan waar je energie van krijgt.

Accountants en financiële planners zijn misschien wel de eerste mensen die je raadpleegt wanneer je probeert te bepalen hoe je je project gaat betalen. Maar voordat je hen opbelt, moet je eerst even de tabel op pagina 190 invullen.

Kijk vooral eens naar de bijkomende voordelen van investeren in je idee. Investeer je in een product dat veel verschillende toepassingen heeft? Ga je nieuwe vaardigheden leren of op talenten voortbouwen die niet alleen je project ten goede komen, maar ook je prestaties op het werk verbeteren en/of een aanwinst zijn voor je cv? Een demonstratiestalletje op de grote, competitieve winterbraderieën leerde Iris heel veel over hoe je een product verkoopt. Haar zelf gefinancierde ervaring met het promoten van haar modeaccessoires, zowel in levenden lijve als online, zorgde ervoor dat ze op haar werk een betere accountmanager werd. Ze kreeg nog twee keer promotie voordat ze ontslag nam.

Misschien kun je je project geheel of gedeeltelijk financieren door een vakantie of een niet-essentieel item – met andere woorden: een bepaalde luxe – op te offeren. Bedenk daarbij dat je niets voorgoed hoeft op te geven, alleen maar voor nu. Wanneer je aan die concessies/compromissen denkt, bedenk dan eens wat je uit die luxe haalt. Is er een andere, minder kostbare manier om een vergelijkbaar effect te bereiken? Als je er echt even uit wilt, zou je kunnen overwegen om dit jaar eens wat dichterbij op vakantie te gaan in plaats van naar Bali af te reizen.

Telkens wanneer je er niet zeker van bent of je voor je ambitie of voor andere opties moet kiezen, vraag je je af: 'Met welke keuze kan ik de toekomst bereiken die ik wil?' Er hangt namelijk ook een prijskaartje aan niet in jezelf investeren.

De beslissingsmatrix

Benodigde diensten, producten en/of opleiding Zet de noodzakelijkste bovenaan	**Kosten per item**	**Achterliggende reden** Waarom moet je in elk item op je lijst investeren? Welke resultaten verwacht je daarmee?	**Bijkomende voordelen** Noem andere mogelijke professionele en persoonlijke voordelen van investeren in dit item.	**Compromissen** Waar kun je, zonder je huis of de opleiding van je kinderen in gevaar te brengen, het geld vinden om voor dit item te betalen? Welke niet-noodzakelijke aankopen zou je kunnen uitstellen?

13

Ja, maar ik zie mijn regenboog niet meer

Er zijn in het leven van die momenten dat je echt niet meer weet wat je moet denken. Je regenboog is vervaagd en je ziet alleen maar grijze lucht. Je intuïtie zit op slot. Je hebt het gevoel alsof er van binnen iets is uitgezet en je hebt geen idee hoe je het weer aan moet zetten. Je hebt geen band meer met je project.

Je kunt niet meer zien wat goed werk is en wat niet, of waar je fout zit. Na een bijeenkomst weet je echt niet meer of je nu hartstochtelijk en overtuigend was of overkwam als een dier in nood. Je twijfelt aan alles wat je zegt en doet. Je maakt je er niet alleen zorgen over of je presentatie idioot overkwam, maar je maakt jezelf gek door je af te vragen of je je carrière de nek om hebt gedraaid door dat laatste stukje blauwschimmelkaas van de conferentietafel te grissen. Je blijft jezelf maar vragen stellen zonder antwoorden te krijgen.

Het is alsof – net wanneer je helemaal in paniek bent en meer dan ooit een beetje instinct zou kunnen gebruiken om op terug te vallen – je zesde zintuig een potje is gaan vissen. Waarom verlaat je intuïtie je juist nu? Het antwoord is pijnlijk duidelijk. Het is die knoop in je maag die je intuïtie het zwijgen oplegt. Als je die knoop niet had, zou je intuïtie je wel waarschuwen dat je die belachelijk lage tarieven eens moet verhogen. Dan ziet de klant je als een expert en niet als een of ander groentje dat pas gisteren haar naambordje heeft opgehangen. Als je je niet zo druk zou maken, zou je wel weten dat je, terwijl je je plan voor de afdeling aan de directeur overhandigt, niet tegen hem moet mompelen: 'Ik weet niet of het wat is.'

Het is een vicieuze cirkel. Hoe gespannener en wanhopiger je wordt, hoe vager je regenboog wordt. En wanneer je in paniek raakt, kun je tijdens een vergadering wel allerlei geruststellingen gaan zitten oplepelen, maar dan vangt iedereen nog steeds al je alarmbellen op. Non-verbale signalen, die je overdraagt met de toon van je stem, je houding en je gezichtsuitdrukking, communiceren 78% meer informatie dan woorden. De elegante boodschap die je uren heeft gekost om in elkaar te draaien en uit je hoofd te leren, wordt volledig om zeep geholpen door het zweet dat op je voorhoofd staat of de smekende blik in je ogen.

In het boek *Destructive Emotions* vertelt psycholoog Paul Ekman, expert in non-verbale communicatie: 'Onze gedachten zijn privé, maar onze emoties niet. Emoties zijn openbaar. Daarmee bedoel ik dat we met onze stem, ons gezicht en onze houding aan anderen laten weten welke emoties we voelen.'

Ben je hypergevoelig? Dan staakt je instinct

Je bent op twee fronten in de problemen wanneer je lichaamstaal signalen naar de wereld uitzendt dat je innerlijke kompas – dat je oordeelsvermogen leidt – kapot is. Ten eerste ben je angstsignalen aan het uitzenden. Ten tweede is je vermogen om non-verbale signalen van anderen op te vangen verdwenen. Iemand die je nog niet kende, is aan tafel komen zitten. Hij schudt je hand, knikt en fronst een beetje terwijl hij zijn koffiekopje oppakt. Je intuïtie had zijn subtiele ineenkrimpen wel opgemerkt, op het moment dat zijn hand het hete kopje aanraakte. Maar aangezien je intuitie op dit moment even niet tot je spreekt, denk je dat de grimas van die man alleen maar kan betekenen dat hij je niet ziet zitten. Je bent beledigd en je besluit dat je hem ook niet echt aardig vindt. Wanneer hij tijdens de vergadering spreekt, kijk jij nadrukkelijk op je horloge. Dat is nou niet echt het begin van een prachtige relatie.

In een ideale wereld zou je altijd een kalme en heldere geest hebben. Dan zou je twee keer per dag mediteren en iedere keer de geniale ingevingen van een Bill Gates ontvangen. In de werkelijke wereld ben je te kwaad op je baas of te bezorgd over je rekeningen om rustig te gaan zitten mediteren. Toen ik voor het eerst met mijn bedrijf begon, gooide ik regelmatig een matje op de vloer, stak ik een paar kaarsen aan, zette ik een cd met oceaangeluiden op en bad ik tot een bron van diepere wijsheid om me nog eens wat briljante stappen in te fluisteren. Maar in plaats daarvan hoorde ik mijn innerlijke plaaggeest, die me toeschreeuwde om op te staan en die vieze vloer eens te stofzuigen. Uiteindelijk heb ik toen het zevenstappenprogramma ontwikkeld dat ik in dit hoofdstuk beschrijf, om de plaaggeest het zwijgen op te leggen en met mijn intuïtie te kunnen communiceren. Dat was niet gemakkelijk, maar het was wel de moeite waard.

Volgens een vooraanstaand expert op het gebied van intuïtie, dr. Daniel Cappon, is intuïtie 'het superdenken dat achter iedere afzonderlijke geslaagde onderneming zit.' Dr. Cappon, die het boek *Intuition: Harnessing the Power of the Mind* schreef, legt uit dat we diep in onze hersenen kennis hebben waar de bewuste geest geen weet van heeft.

Die kennis is als een enorme database. Als je daaruit put, heb je toegang tot alle ervaringen uit je leven tot nu toe. Met andere woorden: alle lessen die je hebt geleerd, meestal door schade en schande. Bovendien zul je het voordeel beleven van een weelde aan opgeslagen feiten en tonnen data die je via je zintuigen hebt binnengekregen. Die informatie hebben onze ogen, oren en andere zintuigen namelijk zo snel doorgegeven dat ons ijverige, analytische brein het niet bij kan houden. En dat is nog niet alles. Dr. Cappon en andere experts zeggen dat deze buitengewone database ook nog eens een collectief geheugen of wijsheid bevat die door de eeuwen heen is doorgegeven. Dat wil zeggen: lessen die onze voorouders hebben geleerd, ook meestal door schade en schande.

Intuïtie komt meestal in de vorm van een ingeving

De experts zeggen dat een ingeving, of een gevoel, optreedt wanneer onze hersenen een patroon waarnemen. Onze hersenen zijn daarin supersnel. Ze vergelijken de signalen en ervaringen van de actuele situatie met een situatie die in het verleden is opgetreden. Wanneer ze een overeenkomst hebben gevonden, krijgen we een verhoogd gevoel van bewustzijn en kunnen we allerlei inschattingen maken. Dit inspireert ons denken en leidt tot beslissingen die meer inzicht opleveren. IJshockeylegende Wayne Gretzky heeft ooit gezegd dat hij gewoon schaatst waar de puck gaat. Hij is een klassiek voorbeeld van iemand die intuïtief werkt. Hij was erg goed in patronen zien.

Effectieve, overtuigende zakenmensen zijn ook goed in het zien van patronen. Ze kunnen tijdens een bijeenkomst subtiele signalen oppikken van mensen die rond de tafel zitten en die aangeven wat er echt in hun hoofd omgaat. Je intuïtieve gevoel wordt verhoogd wanneer je je richt op wat anderen nodig hebben, voelen en willen. De truc van het ‘lezen’ van een kamer is helemaal in het moment te blijven, je volledige aandacht op de gezichtsuitdrukkingen en lichamelijke bewegingen van mensen te richten, en zowel naar de toon van hun stem als naar hun woorden te luisteren, zonder te oordelen. Het is niet gemakkelijk om jezelf van die vooroordelen af te helpen, maar alleen door zonder te oordelen te observeren kun je duidelijk zien en horen. Als je eropuit bent om je verwachtingen te laten bevestigen, zie en hoor je alleen maar wat je wilt en niet wat er is.

Deze helderheid leidt tot geïnspireerde acties. Halverwege een presentatie zou een intuïtieve zakenman kunnen beslissen om een goed voorbereide strategie overboord te gooien en het over een totaal andere boeg te gooien als hij denkt dat hij daarmee de klant voor zich kan winnen. Als je die persoon later vraagt hoe hij nou tot die plotselinge verandering van tactiek kwam, zal hij meestal antwoorden dat hij 'gewoon het gevoel had dat hij dat moest doen'. Als je dieper graaft, zul je ontdekken dat hij extreem goed heeft waargenomen.

We hebben het allemaal in ons om intuïtief te zijn, en in theorie geldt dat zelfs voor die vriend die je nog steeds T-shirts van Doe Maar voor je verjaardag geeft. Maar het is een vaardigheid waarvoor je veel moeite moet doen, maar vooral ook de wil moet hebben om verder te ontwikkelen.

Het volgende zevenstappenprogramma voor meer helderheid en inspiratie is net als ieder oefenprogramma: er zijn zweet en inzet voor nodig. Maar er is wel één lichtpuntje: bij dit programma kun je eten terwijl je traint.

Stap 1: Duik erin

Dompel jezelf onder in alles wat zelfs maar in de verste verte te maken heeft met je interessegebied. Intuïtie volgt op informatie. Een breed scala aan informatie in je opnemen doet meer voor je dan alleen maar je kennis over je werk uitbreiden, want het stelt je bloot aan patronen. Toen mijn pr-bureau werd ingehuurd om de speelgoedindustrie te promoten, hebben mijn partner en ik ons op de kinderwereld gestort. Zodra de inkt op het contract droog was, kregen we het idee dat het onze professionele plicht was om Cartoon Network aan te zetten en de Smarties aan te breken. We legden een voorraad aan van alle snoep dat diabetesverwekkende suikergehaltes en maffe figuurtjes op de verpakking had.

Onze ochtenden op kantoor vlogen voorbij als de dromen van een achtjarige, met lolly's en chips en stripbladen. We gingen met kinderen de spelletjes spelen die ze leuk vonden, keken met hen naar films, luisterden naar hun muziek, gingen met hen winkelen, lazen wat zij lazen en hielpen hen in de klas. In de directiekamers verschenen we vervolgens met paarse snorretjes van de fluorescerende drankjes die we achteroversloegen, maar we konden onze klanten mooi wel binnen twee seconden vertellen welke ideeën bij kinderen in de smaak zouden vallen en welke niet. Door ons zo onder te dompelen in de kinderwereld kregen we een verhoogd gevoel voor wat kinderen dachten, nodig hadden en voelden.

Hoe meer informatie je over het grote plaatje vergaart, hoe sneller je geest de puntjes kan verbinden. Al mijn succesvolle klanten zijn naar eigen zeggen nieuwsjunkies. Ze zijn verslaafd aan tijdschriften, kranten en websites doorbladeren, hoewel ze wel toegeven dat ze een artikel zelden uitlezen. Ze speuren eigenlijk gewoon de horizon af. Maar daardoor pikken ze voldoende op om trends op te sporen en een idee te krijgen van de onderwerpen en gebeurtenissen die een impact op hun vakgebied kunnen hebben.

Stap 2: Vraag wat anderen vinden, nodig hebben en voelen

De menselijke soort is niet echt goed in luisteren. Sinds we ooit een uitgebreide preek hebben gekregen omdat we met stoepkrijt op de muren hadden getekend, hebben we de kunst verfijnd om op de juiste momenten instemmend te knikken zonder ook maar één woord te horen. Voor veel mensen is het inmiddels een standaardprocedure om oppervlakkig te luisteren terwijl we nadenken over wat we van de spreker vinden en wat we vermoeden dat de spreker van ons vindt. Met andere woorden: we luisteren naar onze eigen aannames en de rest is alleen maar achtergrondgeluid.

Om je intuïtieve vaardigheden aan te scherpen, moet je je interne dialoog uitzetten en mensen eens vragen gaan stellen. Daarmee kruip je in hun hoofd en uit je eigen hoofd. Vraag iemand wat hij van een bepaald voorstel vindt en dan zal hij je vertellen wat wel en niet voor hem werkt. Vraag eens wat hij erbij voelt en dan zal hij zijn enthousiasme of zijn zorgen laten blijken. Vraag wat hij nodig heeft en hij zal je vertellen aan welke verwachtingen en eisen hij moet voldoen. Kijk terwijl je luistert naar hoe zijn energie toeneemt en weer wegzakt, kijk waarover hij zich zeker voelt en waarover hij twijfelt, probeer vast te stellen wanneer hij glimlacht en wanneer hij zijn schouders ophaalt.

Onbevooroordeelde, scherpe observatie is het geheime wapen van mensen die goed zijn in het nauwkeurig lezen van mensen, of dat nu in de zakenwereld, in de liefde of tijdens een pokerspelletje is.

Stap 3: Besteed je vrije tijd aan het spelletje 'Wat zou er gebeuren als...?'

Beschouw die lawaaiige, ruzieschoppende rationele geest maar als een arrogante betweter, die snel met alle antwoorden komt en denkt dat hij altijd gelijk heeft. De geest kan een arrogante ouder zijn die de overdreven, maar mogelijk toch steekhoudende verklaringen van een tiener niet wil erkennen voordat hij een oordeel velt. Dan moet je hem helpen zijn bekrompen eigenwaan te laten varen, zodat hij zich open kan stellen voor een grote hoeveelheid signalen en mogelijkheden.

Intuïtie trekt zich soms niets aan van logica, dus hebben we eerder de neiging om haar te onderdrukken dan te luisteren naar dat vage gemijmer. Maar natuurlijk zijn logica en gelijk hebben zelden hetzelfde. Het was helemaal niet zo'n logische gedachte dat een Noord-Amerikaanse koffieketen zijn klanten in verwarring bracht door zijn kleinste kopje koffie '*tall*', de middelgrote '*grande*' en zijn grootste '*venti*' te noemen. Maar toch was het zeker wel een geïnspireerde zet van Starbucks. De keten onderscheidde zich van de rest door het Haagse bakje af te schaffen en de schuldgevoelens over een lekker grote kop koffie de wereld uit te helpen.

Om de barrières tussen het rationele en het intuïtieve te slechten, moet je jezelf schijnbaar idiote, ongebruikelijke vragen stellen, in de vorm van: 'Wat zou er gebeuren als...?' Wat zou er gebeuren als we een klein kopje een groot kopje zouden noemen? Wat zou er gebeuren als we deze service zouden aanbieden met een of ander gadget? Wat zou er gebeuren als we zouden gaan brainstormen met mensen van afdelingen die niets met dit project te maken hebben? Wat zou er gebeuren als we iets geks zouden beloven aan onze klanten? Wat zou er gebeuren als we het voorstel zouden schrijven alsof we de kinderen direct aanspraken? Wat zou er gebeuren als we onze garage zouden verbouwen tot een buurtgalerie?

Iedere vraag die de gebruikelijke maatstaven en traditionele logica uit de weg gaat, dwingt je om creatief te denken, en de creatieve geest is de thuishaven van het geïnspireerde inzicht. Dat werkte ook voor Einstein, van wie wordt gezegd dat hij de onmogelijke vraag stelde: 'Wat zou er gebeuren als ik op een lichtstraal kon rijden?' Als gevolg daarvan kwam hij met de relativiteitstheorie.

Stap 4: Doorbreek je routine

Wij mensen zijn gewoontedieren. We leggen iedere dag dezelfde kilometers af, gaan naar dezelfde plek om koffie te drinken, zitten in dezelfde stoel en staren uit hetzelfde raam. Geen wonder dat we onze regenboog niet meer zien: we denken dat ze het behang is. Routine kan lekker makkelijk zijn, maar door dat 'oude-vertrouwde'-denken loop je het risico dat je je creatieve stroom afremt. Nieuwe stimulansen dwingen nieuwe reacties af. Daarom moet je geregeld spijbelen en iets doen wat je normaal niet doet. Ga eens naar een kunstgalerie, ga eens naar een ander soort film, loop eens in een nieuwe buurt rond, probeer eens een nieuw restaurant aan de andere kant van de stad. Door dingen te doen die je normaal gesproken niet doet en te kijken naar dingen waar je normaal gesproken niet naar kijkt, doen je hersenen heel erg hun best om nieuwe verbindingen te maken, waardoor je intuïtie in actie komt.

Notitie voor jezelf

Wanneer je je afvraagt: 'Wat zou er gebeuren als...?' laat jezelf of iemand anders dit dan niet als een stomme vraag bestempelen. Alles wat ooit nieuw was, is namelijk begonnen als een 'domme' vraag. 'Wat zou er gebeuren als we nu eens een bakkerij voor honden openden en verjaardagstaarten van 35 dollar voor Fikkie gingen verkopen?' zou gemakkelijk weggewuifd kunnen worden als een van de sufste vragen uit de geschiedenis. Maar tegenwoordig zijn er in de Verenigde Staten, hoe ongelooflijk het ook klinkt, in de grote steden veel goedlopende bakkerijen speciaal voor honden te vinden. En zo moet je dus ook nooit 'Dat lukt je nooit' accepteren als antwoord. Een idee gewoon maar afwijzen is veel te gemakkelijk. Daar is helemaal niks aan. Wat nog belangrijker is: het stimuleert het creatieve denken niet. Beantwoord je vergezochte vragen vanuit het perspectief dat alles mogelijk is. Stap een paar minuten uit de realiteit, met al haar beperkingen en vooringenomen ideeën. Wanneer critici je vragen minachten, moet je gewoon een verheven toon aannemen en antwoorden: 'Om Robert Kennedy te citeren: "Sommige mensen zien de dingen zoals ze zijn en vragen zich af waarom. Anderen dromen van dingen die nog niet bestaan en vragen zich af: waarom niet."' Gooi er meteen nog een citaat van Walt Disney tegenaan: 'Als je het kunt dromen, kun je het ook doen,' voordat je eindigt met een mooie uitspraak van Shakespeare uit *Hamlet*: 'Er is meer in de hemel en op aarde, vriend Horatio, dan waarvan jouw wijsheid droomt.' Dat zou de sceptici het zwijgen moeten opleggen, toch?

Stap 5: Denk eens nergens aan

Intuïtie heeft tijd en ruimte nodig om zich vrij te kunnen bewegen. Met andere woorden: zet je geest even uit en denk voor de verandering eens nergens aan. Eén manier om dit te doen is lekker te gaan zitten staren. Je moet dat staren natuurlijk wel een beetje beperken wanneer je in een vergadering of in de metro zit. Mensen worden er meestal een beetje zenuwachtig van wanneer je hen zonder te knippen met van die kikkerogen aanstaart. Maar in de privésfeer van je eigen huis kun je een mooie hypnotische staarsessie houden die je in die toestand tussen slapen en waken brengt. Veel van de boeken over hoe je intuïtiever bezig kunt zijn, zeggen dat je onder de douche moet dagdromen of, nog beter: in een bubbelbad moet gaan liggen mijmeren. Dat werkt, en bovendien heb je nog het bijkomende voordeel dat je dan bijvoorbeeld naar vanille gaat ruiken. En als je het onmogelijk vindt om te mediteren of te dagdromen, kun je altijd proberen op papier zomaar wat te tekenen. Je kunt ook je verbeelding aanmoedigen door haar wat gemakkelijke taken te geven. Ga bijvoorbeeld met je kind kijken of je dierfiguren in de wolken kunt zien, of stel je voor hoe je collega's eruit zouden zien als je hun ogen met hun mond zou verwisselen of zo. Je fantasie slentert arm in arm met je intuïtie. Wanneer je de ene kietelt, krijgt de ander een duwtje.

Stap 6: Neem snelle beslissingen

Om dit te doen, kun je beginnen met dingen die er eigenlijk niet toe doen. Wil je naar de bioscoop? Niet over nadenken, gewoon doen (of niet). Wat je ook beslist, het zal nauwelijks de loop van de geschiedenis bepalen, dus handel naar je eerste ingeving en zie wat er gebeurt. Het is zondag. Wat zou je vandaag willen doen? Beslis dat in minder dan 7,5 seconde, zegt dr. Cappon. Hij legt uit dat snel antwoord geven je logisch denkvermogen niet genoeg tijd geeft om je te vertellen wat je 'zou moeten' doen. En daardoor krijgt je instinct de kans om gehoord te worden. Het doel is te oefenen met het volgen van je intuïtie, zodat je kunt leren om daarop te vertrouwen. Die vertrouwensfactor is cruciaal, omdat niets intuïtie sneller om zeep helpt dan het ondermijnen van je eigen oordeel. En niets veegt het vertrouwen van andere mensen in jou sneller weg dan jou te zien twijfelen.

Wanneer je op het punt staat om linksaf een zijstraat in te slaan vanaf een drukke tweebaansweg, weet je gewoon wanneer je veilig kunt afslaan en wanneer niet. Je gaat daar niet midden op de weg zitten hannesen met een rekenmachine in je hand om de snelheid van het tegemoetkomende verkeer en de afstand tussen de auto's te berekenen. Je neemt een instinctieve beslissing, gebaseerd op duizenden eerdere ervaringen van linksaf slaan die je niet bewust uit zou kunnen werken.

Stap 7: Visualiseer en visualiseer nog een keer

Speel de hoofdrol in een film die je in je hoofd afspeelt en zie jezelf exact doen wat je wilt doen, met anderen die reageren zoals je hoopt dat ze werkelijk zullen reageren. Visualiseren overstijgt de rationele, besluiteloze geest en brengt je in contact met je gevoelens en je creativiteit. De truc is dat, wanneer je uit zo'n visualisatie komt, je jezelf niet de zelfkwellende vraag stelt: 'Hoe kan ik dat in hemelsnaam ooit bereiken?' Stel jezelf in plaats daarvan de vraag: 'Hoe zou ik deze droom waar kunnen maken?' Het antwoord hoeft niet per se realistisch te zijn om de intuïtieve geest te stimuleren. Een vriend van mij visualiseerde bijvoorbeeld hoe vijf uitgevers zouden bieden op zijn eerste mysterieroman.

'Hoe zou je die droom waar kunnen maken?' vroeg ik.

'Nou, kijk,' zei hij grinnikend. 'Als die vijf uitgevers nou eens met mij op een onbewoond eiland waren gestrand en absoluut niets anders te doen hadden dan naar mij te luisteren.'

'En waar zou een groep uitgevers vandaan kunnen komen of waar zou je ze kunnen treffen?' vroeg ik.

'Misschien een boekenbeurs,' zei mijn vriend. 'Hé, weet je, ik heb nog heel veel bonuspunten van die vliegmaatschappij. Ik denk dat ik maar eens naar de boekenbeurs in Los Angeles ga om te kijken of ik daar visitekaartjes van literaire agenten te pakken kan krijgen. Wat heb ik eigenlijk te verliezen?'

Je kunt verschillende geïnspireerde dialogen met jezelf hebben wanneer je voortbouwt op een moment waarop je je goed voelt, in plaats van een moment van scepsis, angst en twijfel. Een gestreste geest is als een gebalde, zweterige vuist: die kan niks oppakken.

Je intuïtie geeft geen absolute garantie en kan niet feilloos de toekomst voorspellen. Maar ze zorgt er wel voor dat je denken helderder en scherper wordt. Ze geeft je beter inzicht. Bovenal komt er, wanneer je in gesprek bent met je intuïtie, een gevoel van kalmte over je heen met betrekking tot wat je doet.

Mensen die hun eigen regenboog kleuren, zeggen dat ze het gevoel van zelfvertrouwen nodig hebben dat ze naar hun beste weten doen wat ze moeten doen op dat moment. Ze hebben vertrouwen in zichzelf, en andere mensen pikken die kracht op en respecteren dat. Als gevolg daarvan zijn hun interacties positiever, zodat ze het gevoel hebben dat ze meer dingen kunnen proberen en meer risico's kunnen nemen.

Samenvatting

- Wanneer je merkt dat je vraagtekens zet bij alles wat je doet en denkt, is het erg belangrijk om stappen te nemen om de paniek te stoppen. Mensen die hun eigen regenboog kleuren, weten dat je op jezelf moet vertrouwen. Dat betekent dat je luistert naar je intuïtie en niet alleen naar je logisch denkvermogen.
- Intuïtief denken gaat eigenlijk over het opsporen van patronen die leiden tot geïnspireerde acties. Wanneer de geest een actuele situatie in verband brengt met andere ervaringen die je hebt gehad of waar je iets over weet, krijg je een verhoogd gevoel van bewustzijn en kun je allerlei inschattingen maken. Dan kun je dingen helderder voor de geest krijgen.
- Om duidelijkheid te krijgen in de interactie met anderen, moet je úít je eigen hoofd en ín dat van hen kruipen door vragen te stellen over wat ze vinden, nodig hebben en voelen, en door aandacht te schenken aan zowel hun lichaamstaal als hun woorden.
- Wanneer je intuïtief handelt, voel je je zelfverzekerd genoeg om elk risico te nemen dat je nodig hebt om vooruit te komen.

14

Ja, maar ik kan geen mentor vinden

Diep van binnen willen we het liefst een mentor hebben. De gedachte aan een wijze ziel met fantastische contacten, die niets anders wil dan ons naar het succes leiden, is al genoeg om ons op onze knieën te doen zakken van hoop en verlangen.

Je kunt best geld betalen voor deskundige informatie. Je kunt gaan netwerken en zelf contacten leggen. Maar er gaat niets boven erkenning van iemand die je werk goed kent. Iemand die je vertelt dat je het echt in je hebt, geeft je een oppepper die voor geen geld te koop is. Het mooie van mentors is dat ze recht naar het hart van je business kunnen kijken: jijzelf. Jij bent de kern van elk idee, elk doel en elke ambitie.

Geliefden komen en gaan, maar een gerespecteerde persoon die jouw potentieel ziet, is iemand die je voorgoed in je hart kunt meedragen. Helaas is er een gebrek aan goede mentors op de markt. Ooit stond de wereld vol met kantoortjes waar mannen en vrouwen met grijze haren en goede harten, en met hooggeplaatste vrienden, op de uitkijk gingen staan voor hun pupillen. Tegenwoordig zijn er nog maar een paar over die de laatste reorganisatie hebben overleefd; zij kleuren hun haar en passen op hun tellen. Een flink aantal jongere mensen in hoge posities is ook eerder op zoek naar bondgenoten dan naar een mentor. Wat moet je dan doen als je een idee hebt en hevig verlangt naar hulp en begeleiding? Waar moet je het zoeken?

Als je in deze competitieve wereld aan iemand advies vraagt ten aanzien van jouw droom, krijg je waarschijnlijk waarschuwingen te horen over hoe moeilijk het tegenwoordig is. Een klassieke uitspraak van een doorgewinterde professional is: 'Als ik dit vandaag zou proberen, zou het me waarschijnlijk niet lukken.'

Er zijn maar weinig mensen die tijd voor je willen uittrekken, waardevolle informatie met je willen uitwisselen en voor jou een paar telefoontjes willen plegen. Mensen die wel mentor zijn, weten hoe dankbaar het is om iemand te helpen die graag wil leren. Maar helaas kun je de directeur van een marktonderzoeksbureau niet opbellen om haar te vertellen dat het erg bevredigend kan zijn als ze tijd uittrekt om jou te leren hoe je zelf een bureautje kunt opzetten.

Natuurlijk kun je betalen voor adviezen. Er zijn genoeg bedrijfsconsultants en professionele instanties om het gebrek aan mentors op te vullen. Die zijn ook zeker bruikbaar, maar ze zullen je nooit het gevoel geven dat je speciaal bent, zoals alleen een mentor dat kan.

Vaak gebeurt het dat, wanneer je een nieuw idee uitwerkt, je het gevoel hebt dat jij het tegen de rest van de wereld moet opnemen. Je moet je steeds maar weer bewijzen en tegen scepsis en afwijzing vechten. Je kunt alleen maar op jezelf bouwen en dat is weleens eenzaam. Het is alsof je 's nachts in je eentje een vliegtuig bestuurt, terwijl je niet weet waar het dichtstbijzijnde vliegveld is en er niemand antwoord geeft aan de andere kant van de radioverbinding. Net als die piloot geef je het natuurlijk niet zomaar op, maar je zelfvertrouwen kan wel een flinke knauw krijgen. Als je op zulke momenten geen mentor hebt, zit er niets anders op dan er een te maken.

De doe-het-zelf-mentor

Een doe-het-zelf-mentor maken begint ermee dat je dingen opschrijft die mensen door de jaren heen tegen je hebben gezegd en die je een goed gevoel hebben gegeven over jezelf. Reis zo ver mogelijk terug in de tijd, misschien zelfs tot de onderwijzer van de vijfde klas, die je een compliment gaf omdat je zo attent was.

In mijn geval is een opmerking van een norse, arrogante professor voorgoed in mijn geheugen gegrift. De man gaf les in creatief schrijven op masterniveau en leidde een optionele zomerworkshop, die ik zo'n 25 jaar geleden heb gevolgd. Iedere dag zag hij eruit alsof hij nog liever vliegen hun vleugeltjes wilde uittrekken dan naar dat groepje amateurschrijvers te luisteren die hun bloedserieuze nachtelijke probeersels voorlazen. Maar omdat hij nu eenmaal aan ons vastzat, scheurde hij onze dierbare paragrafen maar aan stukken. En daarom was ik totaal verrast toen hij me op de laatste dag bij de koffieautomaat benaderde en mompelde: 'Hou toch in godsnaam eens op met jezelf steeds zo onderuit te halen. Het enige wat tussen jou en het succes staat, is een beetje vertrouwen en inzet.' Die woorden hebben me voorgoed veranderd. Tot dan toe was ik er absoluut van overtuigd dat het enige succes dat ik in het schrijversvak had geboekt aan goed geluk en niet aan competentie te danken was. (Uiteraard verpestte ik dat moment volkomen door te reageren met: 'Dat zegt u toch niet omdat u gewoon aardig wilt zijn, toch? Nee, natuurlijk niet. U bent helemaal niet zo aardig.')

Voor de meeste mensen die ik heb begeleid, is het erg moeilijk om een lange lijst op te stellen met positieve opmerkingen die belangrijk voor je zijn. Dat komt deels doordat een bron wel geloofwaardig moet zijn, willen we een compliment echt tot ons door laten dringen. Het is heel aardig van een collega om laaiend enthousiast te zijn over een artikel dat je hebt geschreven, maar het is wel moeilijk om daar opgewonden over te zijn wanneer je bedenkt dat deze zelfde persoon geen grapje maakte toen ze zei dat de beste teksten in gelukskoekjes te vinden zijn.

Meestal leggen we al die aardige opmerkingen veel te snel naast ons neer, terwijl we eeuwig blijven nadenken over kritiek, hoe minimaal die ook was. De waarde van een compliment neemt toe wanneer je bedenkt dat, in tegenstelling tot woorden die uit woede worden uitgesproken, complimenten nooit onbezonnen zijn. Integendeel: mensen geven een compliment wanneer iets aan jou of iets wat je deed, hen op een positieve manier heeft geraakt. En volgens Dale Carnegie, auteur van *Zo maakt u vrienden en goede relaties*, krijgen we meestal meer complimenten dan we beseffen. Als iemand op je afstapt en zegt: 'Hé, ik ken jou!' is dat al een beetje bewondering die je op je bankrekening kunt storten. 'Als jij mijn naam onthoudt,' schreef Carnegie, 'geef je mij een subtiel compliment. Dan geef je aan dat ik een bepaalde indruk op je heb gemaakt.'

Als je desondanks toch moeite hebt om met een lijstje van complimenten te komen die jij belangrijk vindt, maak je dan geen zorgen. Je kunt de hiaten opvullen met allerlei bemoedigende reacties die je hebt opgemerkt bij mensen die jij zelf wijs vindt.

Denk eens aan een moment waarop je een lastig publiek hebt overtuigd. Misschien heb je ooit een veeleisende klant zover gekregen dat hij jouw contract tekende. Misschien heeft een gerespecteerde, maar wat betweterige collega jou ooit met tegenzin gelijk gegeven. Of misschien heeft iemand die bijna nooit telefonisch te bereiken is, jouw telefoontje aangenomen en is hij met je blijven kletsen. Dat zijn geen kruimeltjes, maar wezenlijk belangrijke stukjes materiaal voor je persoonlijke doe-het-zelf-mentorproject.

Jouw doe-het-zelf-mentorproject kan een collage zijn van overwinningen en leerzame, bemoedigende opmerkingen die mensen over jou hebben gemaakt. Als dat kunststukje zou kunnen praten, zou het met jou aan tafel gaan zitten en je precies vertellen wat het over jou denkt. Het zou zeggen dat het een tijdje naar jou heeft geluisterd en gekeken, en dat het ziet dat je een aantal indrukwekkende eigenschappen hebt. Het zou eraan toevoegen dat het alle reden heeft om aan te nemen dat je alles kunt doen wat je maar wilt. Als het een telefoon had, zou het zijn vrienden bellen en hun vertellen hoe goed jij wel niet bent. Maar aangezien het niet kan praten, kun je het werk alleen maar ophangen en ernaar kijken om jezelf eraan te herinneren dat er in de buitenwereld mensen zijn die jou hebben gevolgd, je hebben goedgekeurd en besloten hebben dat je lekker door moet gaan.

Maar wat, vraag je je af, moet ik dan met al het negatieve commentaar dat ik de afgelopen jaren heb verzameld? Maken die dan geen gehakt van mijn zelfgemaakte mentor? Nee, want de mensen die je omlaag halen, zijn bijna nooit geloofwaardige bronnen. Ja, natuurlijk hebben ze een goede baan en misschien zelfs wel wat prijzen in de boekenkast staan, maar ze kunnen niet door je heen kijken. Deze mensen hebben meestal hun oordeel klaar op basis van oppervlakkige en fantasieloze criteria. Je hebt de koop niet kunnen sluiten, dus ben je niks waard. Je wordt rood tijdens een vergadering, dus ben je een softie. De klant vindt de tekst die je hebt geschreven maar niks, dus ben je niet goed in je vak. Ze kunnen niet verder kijken dan hun neus lang is en dus zien ze jouw talent niet.

Een zwakke eigenschap is vaak een sterke eigenschap die te ver is doorgevoerd

Als je een zwakke eigenschap herleidt naar haar oorsprong, zul je daar een goede bedoeling aantreffen die misschien gewoon wat beter uitgevoerd moet worden. Iemand die niet goed is in verkopen, kan fantastisch zijn in het perspectief van andere mensen begrijpen. En misschien vindt hij het daarom gewoon niet fijn om zijn eigen standpunt op te dringen. Het meisje dat bloost, kan superslim zijn, maar maakt zich misschien veel te druk. De klant die de tekst voor de advertentie waardeloos vindt, is misschien blijven hangen in een bepaald concept en staat daardoor niet open voor jouw vernieuwende gedachten.

De antimentors, die van hun voetstuk op je neerkijken en jouw zwakke punten (volgens hen) bekritiseren, zijn niet de aangewezen personen om iemands karakter te beoordelen. Hoe zeker ze ook overkomen, hun mening wordt beïnvloed door hun eigen ongeduld, kortzichtigheid of zelfs onzekerheid. Net als de perfecte lichamen waar we over kwijlen in tijdschriften: dat zijn vaak mensen met eetstoornissen of opblaasbare onderdelen. De arrogante criticus is vaak iemand die heimelijk aan zichzelf twijfelt. Deze mensen doen vaak maar alsof. Degene die je aanvalt wanneer jij iets fout doet, is meestal zelf een zenuwpees. Een zelfverzekerde, wijze persoon laat zich namelijk niet van haar stuk brengen. Ze kan je fouten analyseren, je sterke punten aanwijzen en je adviseren over hoe je daar iets mee kunt doen. Ze weet dat een tekortkoming bijna altijd een pluspunt is dat gewoon niet goed is aangesloten.

Ik had ooit een cliënt die Pascale heette en die met tegenzin ophield met haar werk als verslaggever voor een dagblad, omdat de hoofdredacteur haar had verteld dat ze niet agressief genoeg was om verslaggever in de grote stad te zijn. Ze voelde zich volkomen mislukt en nam een baantje bij een wekelijks verschijnend buurtkrantje. Maar haar maag keerde zich om van die softe stukjes over plaatselijke bedrijven die graag in het krantje adverteerden. Vervolgens kreeg ze een baan als redacteur van een bedrijfsnieuwsbrief waarvoor alle artikelen eerst door een muggenzifterige goedkeuringsprocedure moesten. Ze gruwde bij het idee. Geen wonder dat Pascale niet erg te spreken was over de banen die ze tot nu toe had uitgekozen: ze kwamen allemaal voort uit dat harde oordeel van die ene hoofdredacteur. Ik vroeg Pascale of het mogelijk was dat die hoofdredacteur het niet goed had gezien.

'Nee hoor,' zei Pascale beslist. 'Dat had ze heus wel goed gezien.'

'Komt het doordat je het moeilijk vond om lastige vragen te stellen?' vroeg ik me af.

'Ach, ik vind het niet zo leuk om vervelende vragen te stellen, maar als het moest, deed ik dat heus wel,' antwoordde Pascale.

'Liet je dan misschien informatie uit je artikel weg omdat je bang was dat iemand daar boos over zou worden?' vroeg ik.

'Nee, hoor.'

'Kwam je dan vaak met lege handen van een opdracht terug omdat je niks te schrijven had?'

'Ben je mal? Ik was veel te bang voor die hoofdredacteur om met lege handen terug te komen.'

'Maar waarom denk je dan dat ze zei dat je niet geschikt was om te werken als verslaggever in de grote stad?'

'Geen idee. Ik denk dat ze gewoon vond dat ik niet geschikt was voor die baan.'

Pascale heeft de motieven van haar hoofdredacteur nooit

onderzocht. Ze nam gewoon aan dat iemand in haar positie wel zou weten waar ze het over had. Maar achteraf bedacht ze dat de hoofdredacteur, die we hier voor het gemak Aly zullen noemen, berucht was omdat ze zo drammerig en grof was, en dat ze daar nog trots op was ook. Aly had zich met de ellebogen een weg naar boven gewerkt in een tijd waarin de rauwe journalistiek nog een echt mannendomein was. Pascale kan zich nog herinneren hoe Aly op de redactie omging met mensen die net als zij waren: luidruchtig en recht voor zijn raap. Pascale daarentegen was gereserveerd, stil en had geen harde stem. Uiteindelijk moest ze wel toegeven dat het heel goed mogelijk was dat Aly's mening over haar totaal niet gebaseerd was op haar kwaliteiten als verslaggever. Het zou kunnen dat Aly de neiging had om geringschattend te denken over vrouwen die niet opvallen door hun aanwezigheid. Pascale ging weer fijn op jacht naar het dagelijks nieuws voor een andere krant, waar de hoofdredacteur geen problemen had met haar stille inzet.

Je mag zelf kiezen. Je kunt een mentor maken van de positieve kritieken die je hebt gekregen of je kunt ze opzij schuiven en je alleen iets aantrekken van de negatieve kritieken. Maar als je besluit dat je alleen maar naar kritiek luistert, zul je alleen maar inspiratie kunnen putten uit mensen die dat ook hebben gedaan.

Er zijn leraren in soorten en maten, en sommige zijn vriendelijker dan andere

De officiële definitie van een mentor is iemand die dient als een leraar of een betrouwbare adviseur. Leraren heb je in allerlei soorten en maten. Die vriend van jou, die erover klaagt dat hij psycholoog wilde worden, maar dat zijn zus hem ervan heeft overtuigd dat hij daar te egoïstisch voor was, is jouw leraar. De verbitterde managementassistente die geen makelaar werd omdat haar baas haar waarschuwde dat ze niet geschikt was voor de verkoop, is ook een leraar. En die grappige jongen op de verkoopafdeling die geen tekstschrijver is geworden omdat zijn leraar Nederlands hem verteld heeft dat zijn opstellen niet zo goed waren, is... juist! Je adviseur. En dat is ook de manicuurster die elke keer iets te hard tegen je nagelriemen duwt wanneer ze het erover heeft dat ze verpleegster had willen worden maar dat haar moeder had gezegd dat ze daarvoor veel te chaotisch is.

Wat kun je dan van deze mensen leren? Ten eerste dat je niet veel bijval krijgt wanneer je zit te mokken over wat je niet hebt geprobeerd omdat andere mensen er afkeurende opmerkingen over hebben gemaakt. Ten tweede: de mensen die zich spiegelen aan de negatieve dingen die mensen over hen hebben gezegd, kleuren hun regenboog niet. En zijn ze daar gelukkiger van geworden? Absoluut niet.

Jan wilde bijvoorbeeld graag zijn eigen bedrijf beginnen, maar zijn vrouw Gerrie maakte zich daar zorgen over.

'Jan, je beseft toch wel dat je ontzettend slecht in wiskunde bent, hè?' zei ze tegen hem toen ze met zijn tweeën in mijn kantoortje zaten. 'Ik wil wedden dat je niet weet hoeveel 13 keer 29 is,' zei ze uitdagend.

Voordat Jan die cijfers met zijn vinger in de lucht had geschreven, had ik ze al in mijn rekenmachine ingetoetst en riep ik: '377!'

Jan en Gerrie keken me allebei vuil aan. Van hen hoefde ik geen schouderklopjes te verwachten.

Ik kuchte even. 'Ik denk dat Gerrie bedoelt dat je dan bedrijfsboekhoudkunde moet volgen.'

'Ja hoor, dat zal wel weer,' zei Gerrie, de afkeurende scepticus. 'Nee, hij kan toch niet goed met cijfers overweg.

En als je een eigen bedrijf wilt hebben, moet je nou eenmaal goed met cijfers overweg kunnen.'

'Ik zou toch een accountant kunnen inhuren?' reageerde Jan.

'Hé, dat zou een goed idee zijn,' zei ik.

Gerrie keek me nog eens vernietigend aan. 'Nee, dat is niet goed genoeg. Tegenwoordig probeert iedereen je een poot uit te draaien. Je moet die accountant zelf weer controleren, anders word je bestolen waar je bij staat. En daarom zal iemand als jij, Jan, altijd loonslaaf moeten blijven.'

'Ja, maar, ik kan toch leren hoe ik die boeken moet controleren?' zei Jan. 'Dat is toch geen hogere wiskunde?'

'Misschien niet voor een normaal persoon, nee, maar voor jou... Jij kan nog geen sommetje... ,' zei Gerrie.

'Wanneer mijn levensonderhoud ervan afhangt, laat ik me heus niet zomaar voor iemands karretje spannen, hoor. Je kunt erop rekenen dat ik niets interessanter zal vinden dan een winst-en-verliesrekening,' antwoordde Jan. En terwijl hij naar mij keek, voegde hij daaraan toe: 'En bovendien hebben we tegenwoordig van die handige rekenmachines.'

'Maar je bent helemaal niet handig,' ging Gerrie door.

'Ja eh, dat kan wel zijn, maar ik was ook niet zo handig in inparkeren voordat we naar een drukke straat verhuisden. En nu krijg ik die wagen nog in het kleinste plekkie zonder al te vaak een bumper te raken. Mensen kunnen heus wel ergens beter in worden, hoor, Ger. Dat heet leren.'

Jan had op dat moment twee keuzes. Hij had kunnen blijven luisteren naar zijn antimentor Gerrie, die absoluut vond dat hij zijn zwakheid toe moest geven. Ze wilde graag dat hij het met haar eens zou zijn dat hij niet geschikt was om zijn eigen zaakjes te regelen omdat hij niet goed was met cijfers. Of hij had kunnen luisteren naar zijn zelfgebouwde mentor. Dit was de stem van binnen die hem eraan herinnerde dat hij in de loop van zijn leven al veel geleerd had en dat hij nog veel meer zou leren als hij gemotiveerd was.

Jan koos voor de doe-het-zelf-mentor. En nu, zeven jaar later, heeft hij nog steeds zijn eigen bedrijf en doet hij het prima. Hij vertrouwde me toe dat hij als een waakhond zijn boeken in de gaten houdt, omdat hij nog steeds het gevoel heeft dat hij Gerrie moet bewijzen dat hij heus wel een balans kan bijhouden. Soms kan de antimentor ook behulpzaam zijn, op haar manier.

Notitie voor jezelf

Een mentor ziet dat je potentieel hebt. Iemand die je zwartmaakt, denkt dat jouw tekortkomingen net als platvoeten zijn: een vloek waar je je hele leven lang aan vastzit. De waarheid is dat mensen vaak sterke punten ontwikkelen waar die nodig zijn en wanneer ze dat echt willen. Je wordt misschien nooit een wereldmeester op het gebied waarin je te werk wilt gaan, maar je kunt jezelf best aanzienlijk verbeteren. Muziekleraren zeggen dat zelfs mensen die geen muzikaal gehoor hebben nog noten kunnen leren onderscheiden, zolang ze maar de juiste training krijgen. En er zijn ook genoeg onhandige stoethaspels die het uiteindelijk lukt om te rolschaatsen zonder blauwe plekken of gebroken ledematen op te lopen.

Mentors verdienen onze eeuwige dankbaarheid, omdat zij ons hoog genoeg aanslaan om ons aan te moedigen onze vaardigheden verder te ontwikkelen. Maar als je niemand hebt die je hand vast wil houden, kun je evengoed prima op je pad lopen en uiteindelijk rennen. Als je terugkijkt op je leven, zul je heel veel prestaties tegenkomen die je voor elkaar hebt gekregen zonder hulp van wie dan ook.

Als je in de allerkleinste hoekjes van je leven kijkt, vind je zelfs daar nog momenten waarop je bijvoorbeeld opstond en het woord nam, zelfs al klopte je hart in je keel. Of je nu een verlegen middelbarescholier was die eindelijk de moed vatte om zijn hand op te steken, of hebt gestreden voor een of andere schone zaak: je putte uit je innerlijke kracht. Denk maar aan die momenten waarop je de telefoon pakte ondanks je trillende handen, een kamer binnenliep terwijl de vlinders door je buik spookten, op kwam dagen voor een baan terwijl je eigenlijk geen flauw idee had wat je moest doen, of een vliegtuig pakte terwijl je niet wist wat je aan de andere kant te wachten stond. Wanneer je even de tijd neemt om daarover na te denken, zijn er ontelbare incidenten in je leven waarop je er voor gegaan bent en het gedaan hebt, ook al trilde je van binnen. Jij weet beter dan ieder ander hoe vaak je in je leven niet hebt toegegeven aan je angsten. Dus hoe heerlijk het ook zou zijn om een mentor te hebben die je helpt om je sterke punten te herkennen, er is altijd nog de spiegel.

De ultieme toost op jezelf

In het begin van de jaren tachtig, toen het nog steeds heel gewoon was dat mensen eerst een partner zochten voordat ze een grote stap in het leven zetten, zoals een huis kopen of een baan in het buitenland zoeken, ging ik naar een revolutionaire bruiloft. Mijn vriendin Sanne stuurde namelijk uitnodigingen rond waarop stond dat ze ging trouwen... met zichzelf. Zodra haar vrienden de witte linnen envelop in hun brievenbus kregen, hingen ze met elkaar aan de telefoon om elkaar te vragen hoe Sanne op de ceremonie toch de rol van twee personen zou spelen. We zagen haar steeds een jasje aan- en uittrekken over haar trouwjurk heen. We lieten haar poseren voor de foto met haar arm rond een grote uitgeknipte foto van zichzelf. We stelden ons voor dat ze steeds van de ene stoel naar de andere stoel zou springen in het kantoor van de bankdirecteur die een gesprek met haar had over een hypotheek.

Op de bruiloft spraken we plechtig af dat we niet naar elkaar zouden kijken, omdat we anders de slappe lach zouden krijgen. In dat opzicht werd het evenement dus een fiasco. Sanne stond gewoon op in haar achtertuin, verklaarde dat ze voor eeuwig van zichzelf zou houden, zichzelf zou eren en respecteren, hield vervolgens met een enorme zwaai een glas champagne omhoog en zei: 'Op mij en mijn toekomst.' Tegen middernacht was iedereen inmiddels met zichzelf getrouwd en hadden we het gevoel dat alles mogelijk was voor ons.

Soms is er geen andere mogelijkheid dan je eigen voorvechter te zijn. Je zult over jezelf de loftrompet moeten steken, hoe ongemakkelijk dat ook voelt. Want als niemand anders het voor je doet en je het ook niet voor jezelf doet, heb je geen enkele bron van aanmoediging. En net zoals baby's overstuur raken als er nooit iemand naar hen glimlacht, raken we ontmoedigd als we nooit eens een schouderklopje krijgen, niet eens van onszelf. Zo'n schouderklopje heeft meer impact dan je denkt, omdat het ons laat weten dat we potentieel hebben. En die kennis is gebaseerd op een leven van geheime en niet zo geheime prestaties.

Samenvatting

- Mensen die hun eigen regenboog kleuren, wuiven de complimenten die ze door de jaren heen hebben ontvangen vooral niet weg, maar houden ze vast alsof het kostbare rijkdommen zijn. Ze gebruiken ze als reservebrandstof wanneer ze het gevoel hebben dat hun zelfvertrouwen begint op te raken.
- Kijk terug op je leven tot nu toe en verzamel de bemoedigende opmerkingen die je hebt gekregen, de overwinningen die je hebt geboekt en alle angsten, groot of klein, die je hebt overwonnen. Alles bij elkaar geven ze je een doe-het-zelf-mentor op wie je kunt bouwen.

Oefening

Bouw je eigen mentor

Toen je nog een kind was, had je niet zoveel nodig om jezelf op de borst te slaan van trots. Door iets onschuldigs als 'Wat heb je die bladeren goed bij elkaar geharkt!' kon je al een beetje meer rechtop gaan staan. Als je als volwassene hoort dat je die bladeren zo goed bij elkaar hebt geharkt, zeg je achteloos 'O, dank je' en maak je vervolgens een rotopmerking dat je het een stuk beter had gedaan als je er nou eens een beetje hulp bij had gehad.

Met de jaren gaat ons gehoor op meer dan één manier achteruit. We horen de kleine complimenten niet meer en luisteren alleen maar naar de twijfels en de steken onder water. Ik kan me nog herinneren dat ik ooit met een cliënt een dag in zijn leven opnieuw beleefde, omdat hij er absoluut zeker van was dat niemand ook maar iets positiefs tegen hem had gezegd vanaf het moment dat hij was opgestaan. Toen we op de terugspoelknop drukten, kwamen we diverse voorbeelden tegen van mensen die belangstelling hadden getoond voor wat hij had gezegd en hem hadden bedankt voor het een of ander. Hij was blijkbaar zo gefocust op negatieve opmerkingen dat hij de positieve niet oppikte. Geen wonder dat hij zich aan het eind van de dag te onzeker voelde om een voorstel te schrijven voor een conferentie.

Wanneer je totaal geen zelfvertrouwen hebt, kun je het beste zelf een mentor bouwen. Om zo'n mentor te maken, moet je gaan nadenken over de complimenten die je hebt ontvangen, zowel kort als langer geleden, en de essentie ervan opschrijven. En je moet vooral de verleiding weerstaan om sceptisch te zijn over de motieven van de persoon die jou heeft geprezen. De lerares van klas 4 die gezegd heeft dat je een natuurlijke aanleg hebt voor spreken in het openbaar zegt dat heus niet tegen al haar leerlingen. De baas die heeft gezegd dat hij onder de indruk was van je originele denkwijze heeft dat niet alleen maar gezegd om aardig te zijn. Er zijn talloze dingen die mensen kunnen zeggen. Het feit dat mensen nu juist die complimentjes maken, is veelzeggend.

Denk ook eens terug aan de momenten en de successen die je in je hele leven hebt verzameld. Dat hoeven geen olympische records te zijn om toch van waarde te zijn.

Schrijf zoveel waardevolle complimenten en successen op als je kunt en houd deze goed in gedachten. Fluister ze in je eigen oor wanneer je wel een opkikker kunt gebruiken, een herinnering aan je vele vaardigheden en je potentieel.

Dingen die de moeite waard zijn om te onthouden

1. Ik kan me nog herinneren dat, toen ik opgroeide, ik me erg trots voelde toen me werd verteld dat...

2. Nu ik aan de afgelopen jaren terugdenk, ben ik erg tevreden over de volgende overwinningen: ...

3. Er zijn wel tijden dat ik me onzeker of zenuwachtig heb gevoeld, maar dat heeft me er niet van weerhouden om...

4. Een van de aardigste dingen die iemand ooit tegen me heeft gezegd, was...

5. Het afgelopen jaar heb ik me goed gevoeld over de periode toen...

6. Wat ik echt leuk vind aan mezelf is...

15

Ja, maar ik vind het niet zo leuk meer

Wanneer je druk bezig bent je eigen regenboog te kleuren, zijn er twee dingen die je moet weten over verveling. Het eerste is dat iedereen op een bepaald moment weleens uitgekeken is op zijn project. Het tweede is dat je daar echt niet bang voor hoeft te zijn. Dat is wel fijn om te weten wanneer je in de greep van de verveling bent en je ervan overtuigd bent dat je óf volledig uit je dak gaat óf eraan doodgaat. Niet dat je dat nou zo erg zou vinden. Op dit moment zou je je liever op een klein vlot van de Niagara-watervallen storten dan je nog een moment langer te vervelen.

'O, ik heb er helemaal geen zin meer in,' biechtte Ricky op. Hij had het gehad met het moeizame proces van zoeken naar investeerders voor zijn beginnende bedrijf. 'Ik verveel me rot als ik aan de markt denk, ik heb schoon genoeg van zoeken naar investeerders en ik vind het doodsaai om dat verslag over de contacten met de investeerders te schrijven en weer te herschrijven. En weet je wat mijn compagnon laatst tegen me zei?' vroeg hij, terwijl zijn stem van verontwaardiging omhoogschoot.

'Nee, wat dan?' vroeg ik.

'Hij zei dat hij het spuugzat was om me zo te horen doorzagen over hoe saai ik het allemaal vind. Hij stelde voor om een waarschuwingstatoeage op mijn voorhoofd te laten zetten met de tekst: "Verveeld persoon – blootstelling kan leiden tot coma."'

'O. Hé, luister eens, ik ga effe weg om een driedubbele espresso te halen.'

'Ha ha ha. Erg grappig, hoor,' zei Ricky.

Hoewel je je natuurlijk niet letterlijk dood kunt vervelen, heeft verveling al veel mensen ertoe aangezet om hun projecten op te geven, om maar te kunnen ontsnappen aan die verstikkende houdgreep. En dat is heel jammer, want als je verveling goed bestudeert, kun je zien dat ze eigenlijk gewoon een ongevaarlijke portier is, die zich voor de grap vermomt als de man met de zeis. Als je hem even opzijduwt, kom je alweer heel wat wijzer aan de andere kant. Maar als je je door de verveling laat tegenhouden, kom je met lege handen te staan.

Er is een aantal redenen waarom we altijd wel een keer bij verveling uitkomen wanneer we bezig zijn onze regenboog te kleuren. De voornaamste reden daarvoor is dat er bij ieder project wel wat geestdodend werk komt kijken. Brieven met smeekbedes en aanvragen voor leningen schrijven, lijsten met potentiële klanten opstellen, mensen opbellen die je niet kent: dat is allemaal zo saai dat het zelfs geen zin heeft om emmers koffie of zakken chips ertegenaan te gooien om onze werkuren minder slaapverwekkend te maken. Muziek draaien kan soms helpen, maar het kan ook een gevaarlijke afleidingsbron zijn, als je daardoor de neiging krijgt om een potlood te pakken en ter plekke een karaokeoptreden weg te geven.

Het zou al zwaar genoeg zijn om ons door deze klusjes heen te bijten als we er op een of andere manier erkenning voor zouden krijgen, of de garantie zouden hebben dat onze inspanningen uiteindelijk beloond worden met winst, maar meestal weten we dat niet. Vaak weten we gewoon niet of een specifieke activiteit ons wel dichter bij ons doel zal brengen. Met de onzekerheid die dan in ons achterhoofd speelt, is het lastig om niet het internet op te gaan om te kijken hoe vlooien zich voortplanten of de stamboom van de hond te onderzoeken. Als je dat doet, ben je wel mooi gezakt voor de eerste test van de portier.

Vallen en opstaan is saai, maar onvermijdelijk

Op de vraag van de portier: 'Ben jij bang voor doodlopende wegen?' is het juiste antwoord: 'Wie? Ik? Echt niet! Kom maar op met die wegen.' Oké, je kunt het ook overdrijven met dat nep-enthousiasme, maar je moet wel erkennen dat vallen en opstaan onderdeel is van je eigen regenboog kleuren. Wat je doet, is niet veel anders dan het moeizame werk van een laboratoriumonderzoeker die jaren besteedt aan het testen van formules voordat hij de juiste te pakken heeft. Je zult één methode helemaal moeten uitproberen voordat je een andere neemt. Er zijn nu eenmaal geen sluiproutes.

'Verveling' lijkt op het woord 'vervelend'. Dat zullen gedragsdeskundigen niet zo vreemd vinden, want zij zeggen dat verveling een vorm van irritatie is over alles wat we zinloos of een sleur vinden.

Meestal geven we omstandigheden buiten onszelf volledig de schuld van het feit dat we zo rusteloos en geïrriteerd zijn. We denken dat, als we de omstandigheden veranderen, de verveling sneller zal verdwijnen dan de stukjes kaas die in de supermarkt worden aangeboden om te proeven. Dat soort denken, zeggen de gedragsdeskundigen, verklaart waarom we altijd op zoek zijn naar nieuwe speeltjes en ervaringen om onszelf bezig te houden. Maar zoals veel verwende rijke kinderen al in de afkickkliniek hebben ontdekt, werken shoppen en trippen op de langere termijn toch niet echt.

Hoe dan ook: de zucht naar variatie is niet echt een goed idee voor beginnende projecten. Een andere reden waarom mensen die met een bepaald doel bezig zijn zo verveeld raken, is dat, wanneer je een nieuw idee koestert, je ermee opstaat en er weer mee naar bed gaat. Na een tijdje kan dat gewoon te veel van het goede worden. Dan gaat het lijken alsof je 24 uur per dag aan iemand vastgegroeid zit. Hoeveel je ook van die persoon houdt, op een gegeven moment gaat hij toch een keer te veel diezelfde langdradige en niet zo grappige mop vertellen over drie mannen in een bar, en dan zou je wel heel hard gillend de andere kant op willen rennen. Hetzelfde geldt als je je voor de duizendste keer afvraagt of Blozende Bietjes wel zo'n goede naam is voor je cateringbedrijf en of het wel zo'n goed idee is om een prijsvraag op je website te zetten. Dan ga je op een gegeven moment wel denken dat je net zo goed kunt stoppen. Je kunt jezelf gemakkelijk tot wanhoop vervelen door je voortdurend over hetzelfde druk te maken. Dat is waarom mensen die hun eigen regenboog kleuren zo zeker weten dat je beter een willekeurige beslissing kunt nemen dan helemaal geen beslissing.

De verveling zou niet zo'n spelbreker hoeven zijn als het tegengif gewoon afleiding was. Maar zo werkt het helaas niet. Want dan zak je dus voor de tweede test van de portier. Je zegt tegen hem dat je even pauze neemt en dat je wel weer terugkomt... ooit. Dan zegt hij tegen jou dat hij daar niet op gaat zitten wachten, want als jij van je pad afwijkt omdat je even geen zin meer hebt, is er grote kans dat je je weg niet meer terug zult vinden.

Afleiding is gewoon te verleidelijk om te vertrouwen

Natuurlijk is het fijn om even iets te doen wat niet zoveel van je eist en sneller bevrediging oplevert dan het project waar je eigenlijk mee bezig was. De symptomen van verveling verdwijnen, je hebt niet meer zo'n onbestemd gevoel in je maag en je voet houdt op met tikken. In deze nieuwe, aangename toestand merk je dat je lekker even achteroverleunt. Je vraagt je af of je jezelf niet te veel onder druk hebt gezet en dan raad je jezelf aan om meer plezier in het leven te hebben en alles luchtiger op te nemen. Voordat je het weet, heeft het motto 'morgen begin ik met dat dieet' je in zijn greep.

Als je je geest 'vakantie geeft' van een project, dan is het probleem dat we die vakantie vaak langer en langer maken. En dan verliezen we de drive die we hadden opgebouwd. Het ene moment ligt onze eettafel nog bezaaid met papieren, lijsten en plannen, en het volgende moment hebben we alles in een grote kartonnen doos geveegd en die op zolder gezet, 'voorlopig'. Die doos kan net zo goed ergens in Timboektoe staan. Dingen die naar zolder gaan, blijven op zolder. Daar zetten we dingen neer waar we niets mee willen doen, maar die we niet durven weg te gooien. Ga maar eens achter in je kast kijken. Dan zie je daar een paar schoenen die je nooit hebt gedragen omdat ze knellen, goedkope fotolijstjes, kriebelige wollen truien en een plastic zak vol half afgeronde brieven, oude aantekeningen en vergeelde krantenartikelen waar je altijd nog iets mee wilde doen.

Notitie voor jezelf

Er zijn veel mensen die, hoewel ze zelf hun regenboog niet zo goed kunnen kleuren, er verdacht veel genoegen in scheppen om je te steunen in je plannen om een pauze te nemen van het kleuren van je regenboog. Als je maar even toegeeft dat je je op dit moment verveelt, proberen ze je onmiddellijk zover te krijgen dat je wat anders gaat doen. Als kind hebben we te horen gekregen dat het onacceptabel is om je te vervelen. Ieder kind dat ooit heeft uitgeroepen: 'Mam, ik verveel me zo,' kreeg meteen tien suggesties voor wat het zou kunnen doen. Ik heb nog nooit van een moeder gehoord die zei: 'Dat is fijn voor je, lieverd, geniet ervan.' Dus wanneer je je vrienden vertelt dat je je verveelt, maar dat je toch doorgaat met wat je aan het doen bent, schieten ze onmiddellijk te hulp. 'Ach, hou er dan maar mee op,' zeggen ze dan. 'Ga lekker mee kamperen dit weekend.' Als je dan 'nee' zegt, staan ze opeens bij je voor de deur met een cocktailshaker en een of andere waanzinnige theorie dat je van verveling saai wordt. Doe je toekomst een lol. Zeg tegen hen dat je opeens de mazelen hebt en doe de deur voor hun neus dicht.

Zet maar een streep door je vakantie. Het enige uitje dat je je kunt veroorloven wanneer je je zo ontzettend verveelt dat je wel kunt gillen, duurt tien minuten. Binnen die tijd mag je een ommetje maken, ergens een kop koffie halen of een boterham eten, maar dat is dan ook alle plezier die je jezelf mag gunnen. Daarna moet je je weer stevig gaan vervelen.

Verveling lijkt een beetje op flossen en tandenstoken. Het

is net alsof je je tijd vergooit terwijl je iets veel interessanters zou kunnen doen, zoals naar het journaal kijken. Maar tandartsen zeggen het niet voor niets: je moet flossen om je tandvlees op de lange termijn gezond te houden. En de mensen die hun eigen regenboog kleuren, zijn ook niet gek wanneer ze zeggen dat je moet leren leven met die verveling en dat je je moet blijven concentreren op datgene waar je op dat moment mee bezig bent als je succes wilt behalen.

Er zijn waarschijnlijk geen grotere experts op het gebied van verveling dan boeddhisten en anderen die aan meditatie doen. Als je denkt dat mensen die urenlang in kleermakerszit hun ademhalingen tellen zich nooit vervelen, heb je het mis. Er is een boeddhistisch klooster waar de meditatiemeester de monniken met een stok op hun rug slaat om ervoor te zorgen dat ze niet van verveling in slaap vallen. In zijn boek *De mythe van vrijheid en het pad van meditatie* geeft de boeddhistische leermeester Chögyam Trungpa Rinpoche toe dat de praktijk van je lange tijd achter elkaar concentreren op je ademhaling 'extreem monotoon en niet avontuurlijk' is. Met andere woorden: doodsaai. Maar verveling levert heus wel wat op.

Als je mediteert, moet je je overgeven aan de verveling, zodat je uiteindelijk kalm en sereen wordt. Chögyam Trungpa schrijft: 'Zodra we merken dat er niets gebeurt, beseffen we vreemd genoeg dat er juist iets verhevens gebeurt. Er is geen plaats meer voor frivoliteit, geen plaats voor haast. We ademen gewoon en zijn gewoon aanwezig. Dat is zeer bevredigend en weldadig. Het is net alsof we een goede maaltijd hadden gebruikt en daar genoeg aan hadden, in plaats van te eten om jezelf tevreden proberen te stellen.' Westerse filosofen zijn het daar volledig mee eens. De Duitse filosoof Friedrich Nietzsche heeft ooit beweerd dat mensen die zichzelf nooit eens toestaan om zich te vervelen, nooit hun diepste innerlijke wijsheid zullen ervaren. Onder de rusteloosheid ligt de stilte. En op het moment dat je doorgraaft naar die stilte, ervaar je momenten van grote helderheid.

Verveling leidt vaak tot doorbraken

Veel mensen uit het bedrijfsleven zeggen dat ze tot hun beste ideeën zijn gekomen tijdens lange vliegreizen, wanneer ze de film al hadden gezien en niets beters te doen hadden dan voor zich uit staren. Bernie Brillstein, talentenmanager van diverse beroemdheden in Hollywood, schrijft in zijn boek *It's All Lies, & That's the Truth* dat, toen hij begon in die wereld, hij geen klanten had en dat hij aan het einde van iedere tergend trage dag op kantoor direct naar huis en naar bed ging. Hij zocht zijn toevlucht niet in films, ging niet rondhangen met vrienden en hij ging ook niet naar clubs voor wat doelloze afleiding. Hij ging naar huis en zakte daar weg in verveling. En uiteindelijk bleek dat dat het beste was wat hij ooit had gedaan. Hij zei dat hij zo lusteloos werd door zomaar een beetje te liggen, dat hij uiteindelijk begon te analyseren wat hij allemaal goed en fout had gedaan in zijn leven. En hij kwam tot de conclusie dat hij het maar moest blijven proberen. Stap voor stap bouwde hij zo een bedrijf op waar uiteindelijk allemaal sterren kwamen aankloppen.

Of je nu je ademhalingen telt, een beetje voor je uit kijkt of naar een leeg computerscherm staart, verveling is verveling. En we hebben allemaal de neiging om er zo snel mogelijk aan te ontsnappen. Dan kunnen we wel de telefoon, de afstandsbediening of de autosleutels pakken om onszelf te verlossen van de geestelijke en lichamelijke ongemakken van die verveling, maar dat is het ergste wat we kunnen doen. Als je toegeeft aan dit verlangen, zul je namelijk nergens komen. Je zult alleen maar verder van je doel weg rennen.

Gevoelens van onrust komen en gaan. Blijf gewoon een beetje langer volhouden dan je denkt dat je aankunt en surf weg op die golf van kriebelend ongemak die over je heen spoelt. Sta jezelf niet toe om op de computer te gaan patiencen of eindeloos berichten op Facebook te zetten. Als je in slaap valt, zet dan koffie, doe er veel suiker in en vergrijp je aan de koekjes. Doe alles wat je maar wilt om bij de taak te blijven die je jezelf gesteld hebt.

Een truc die werkt, is om een minuut weg te dromen en je voor te stellen dat je je prestaties al aan het vieren bent. Dat vroeg ik ook aan Ricky om te doen. Ik zei tegen hem dat hij me de speech moest geven die hij zou uitspreken op een bijeenkomst van jonge ondernemers, waar hij de belangrijkste spreker zou zijn, omdat hij het geld voor zijn bedrijf bij elkaar gekregen had en er een succes van gemaakt had.

'Wat, nu?' zei hij. 'Zomaar even uit m'n hoofd?'

'Ja, toe maar,' zei ik.

'Moet ik erbij gaan staan?'

'Ja hoor, dat is prima. Als je denkt dat dat helpt.'

'Heb je misschien een stropdas die ik even kan lenen?'

Het is fijn om even helemaal in een visualisatie te duiken, maar je moet die korte pauze ook weer niet gebruiken om je helemaal op irrelevante details te storten, zoals wat voor toetje er geserveerd zal worden op het diner van de prijsuitreiking.

'Misschien vreemd, Ricky, maar ik heb hier geen das. Bovendien is het beter om het zonder das te doen. Stel je maar voor dat je spreekt tijdens een weekendje met een groep mensen.'

Ricky stond op en schraapte zijn keel. 'Beste mensen,' bulderde hij, 'kijk eens naar mijn knokkels.' Hij deed zijn arm omhoog en balde zijn vuist. 'Kijk toch eens hoe ruw ze zijn. Ze zijn ruw van het alsmaar kloppen op deuren. Is er hier nog iemand die ruwe knokkels heeft? Steek jullie handen dan eens in de lucht?'

Ricky keek me verwachtingsvol aan. Ik stak snel mijn hand omhoog.

'Mooi zo,' zei hij. Ik glimlachte terug en wreef over mijn knokkels.

'Het feit dat ik hier vandaag sta, komt doordat ik ben blijven kloppen,' zei Ricky. En daarna raakte hij echt op dreef. Blijkbaar ontdekte hij dat hij het heerlijk vond om speeches te geven.

Drie kwartier later moest ik hem toch echt afkappen. 'En, wat ga je de volgende keer doen als je helemaal gek wordt van verveling?' vroeg ik.

'Dan zeg ik tegen mezelf: "Beste mensen",' en hij begon weer te bulderen, '"laat me jullie knokkels eens zien!"' Ricky lachte. 'Heerlijk, dat zinnetje. Dat ga ik gebruiken om mezelf te dwingen om door te blijven ploeteren.'

Mensen die hun eigen regenboog kleuren, weten dat, als je niet wegloopt voor die verveling, deze na een tijdje gewoon weer plaatsmaakt voor iets anders. Dat gebeurt altijd, gegarandeerd. Sta jezelf daarom toe om even helemaal geen zin meer te hebben en uiteindelijk zal dat nerveuze paniekgevoel dan wegebben en komt er een gevoel van tevredenheid voor in de plaats. Dat kan tevredenheid zijn doordat je een belofte aan jezelf hebt gehouden, of je krijgt weer hoop, rust of een geniale inval. Wanneer de portier je dus vraagt waarom je door die verveling heen wilt breken, zeg je tegen hem dat dat komt doordat je aan de andere kant een afspraakje hebt met iets beters.

Samenvatting

- Bij ieder project komt wel een zekere mate van geestdodend werk kijken. En die vervelende klusjes, die behoorlijk saai kunnen zijn, zijn vooral saai wanneer je niet zeker weet of ze wel wat opleveren. Bovendien kan het ook een beetje saai worden om de hele tijd maar aan je project te denken.
- Wees erop voorbereid dat je je zult gaan vervelen en ren er niet van weg, want dan zul je nergens heen gaan. Je rent dan in feite alleen maar heel hard van je doel vandaan.
- Verveling kan heus wel wat opleveren. Als je toch doorgaat terwijl je het stomvervelend vindt, zul je na een tijdje geen onrust meer voelen en word je kalm. Meestal komt er na verveling weer inspiratie.

Oefening

Hoe overleef je de verveling?

Wanneer de verveling toeslaat en je je project zo hard mogelijk in een hoek wilt gooien, houd dan vooral vol. Verveling voelt soms net alsof je door een lange, rechte tunnel rijdt: het is stikdonker, je pikt geen enkel radiosignaal op en je begint je af te vragen of de weg ooit nog ergens naartoe gaat. Je kunt ervan op aan dat je reis uren-, dagen- of zelfs wekenlang saai zal blijven, maar maak vooral geen rechtsomkeert. Blijf in die tunnel rijden tot je het spreekwoordelijke licht ziet. Probeer ondertussen deze bruikbare oefening te doen, waarmee je onbevredigend routinewerk kunt volhouden wanneer dat nodig is.

1. Visualiseer je uiteindelijke succes. Stel je vervolgens voor dat je gevraagd bent om een praatje te houden voor een publiek over hoe je je doel hebt bereikt, ondanks alle obstakels. Wat voor inspirerend advies zou je je publiek willen geven om hen te motiveren om ook vol te houden, vooral wanneer het werk saai wordt?

2. Schrijf je eigen wijze woorden op en sluit een pact met jezelf om ze ieder half uur weer te bekijken en na te leven. Als aanmoediging kun je jezelf opdragen om vijf minuten pauze te nemen na ieder half uur werk.

3. Kijk, net voordat je een pauze neemt, even terug op je visualisatie en zie hoe je je advies geeft aan dat publiek. Wees niet verrast wanneer je ontdekt dat je ook echt doet wat je zelf hebt gezegd.

16

Ja,
maar ik heb
het geduld er
niet voor

Ik ben de ongeduldigste persoon die ik ooit heb ontmoet. Ik hou van sterke thee, maar ga ik zitten wachten tot de thee vier minuten in de pot getrokken heeft? Nee, want als ik het kokende water erop schenk, schenk ik ook meteen een kopje in en zit ik erover te klagen wat een slap en smakeloos aftreksel het is. In een van mijn vele pogingen om een meditatieve gewoonte op te bouwen die ik ook volhoud, ben ik me met *ikebana* gaan bezighouden, Japans bloemschikken. Blijkbaar is het niet de bedoeling om zoveel bloemen als je kunt in je vuist te houden en dan te proberen alle uiteinden er in één keer af te snijden. De leraar zei tegen me dat ik misschien beter kon gaan pottenbakken. De lerares pottenbakken stelde voor dat ik kalmeringsmiddelen zou gebruiken. Ik geef het toe: meestal wil ik onmiddellijke bevrediging. Helaas heb ik door vallen en opstaan moeten leren dat je eigen regenboog kleuren echt een beproeving is.

En dat is een dilemma, want niet iedereen die een ambitie heeft, is bereid te wachten tot de inspanningen iets opleveren. Sommige mensen nemen dan liever hun verlies en gaan weer iets anders doen in plaats van vol te houden en te hopen dat er voor de volgende grote ijstijd nog iets gebeurt. Goeroes van alle geledingen zeuren voortdurend dat geduld een schone zaak is. Ik weet zeker dat, als ik het geduld had om een hele lezing over het onderwerp uit te zitten, ik het ermee eens zou zijn. Toch denk ik dat er ook wel iets te zeggen valt voor al die snel pratende voetentikkers. Wij krijgen tenminste snel iets voor elkaar.

Zelf ben ik nou niet de allerzorgvuldigste werker, maar als ik besluit om een kamer te schilderen, is die ook binnen een dag af. Oké, dan zitten er wel een paar verfspetters op het meubilair, op de kozijnen en de vloer, en een kniesoor zou zeggen dat het er wel meer dan een paar zijn, maar het belangrijkste is toch dat de klus geklaard is.

Wanneer je eraan gewend bent om een snel leven te leiden, is het lastig om een project vol te houden dat maar niet wil opschieten. Maar de goeroes wijzen erop dat Rome niet in één dag gebouwd is, dat het jaren duurt voor een goede wijn op dronk is en dat niemand in één dag Spaans kan leren spreken. Wat ze bedoelen, is blijkbaar dat, als iedereen onmiddellijk resultaten zou eisen, de wereld het Colosseum had moeten missen, je nooit een echt goede wijn zou drinken en maar weinig mensen Spaans als tweede taal zouden spreken.

Hoe hou je het vol wanneer je niet zo'n volhouder bent?

Geduld wordt in het woordenboek omschreven als het vermogen om te wachten of iets uit te stellen zonder geïrriteerd of kwaad te worden, of kalm door te gaan wanneer je met moeilijkheden te maken krijgt. Voor de ongeduldige is het dan zaak om een manier te vinden waarop je het vol kunt houden wanneer je van nature ongeduldig bent. Gelukkig hebben mensen die hun eigen regenboog kleuren strategieën in de aanbieding.

Het heeft Jacky vijf lange jaren gekost voor ze haar idee van een programma voor ouders bij haar radionetwerk in de lucht kreeg. Toen ze het voorstel schreef, werkte ze bij het radiostation als nieuwsredacteur. Barry, de programmadirecteur, zei dat ze dan een demo, een proefprogramma, moest maken. Toen ze dat bij hem had ingeleverd, zei hij dat hij 'erover na zou denken'. Zo nu en dan herinnerde ze Barry eraan en stuurde ze hem e-mails waarin ze hem steeds weer nieuwe gegevens leverde waarom zo'n programma voor ouders de luisteraars zou interesseren. Na jarenlang 'Ik zal ernaar kijken' te hebben gehoord, maakte ze toevallig een keer een praatje met de salesmanager terwijl ze allebei voor de lift stonden te wachten. Hij vertelde haar dat ze voor zo'n programma een belangrijke sponsor nodig zouden hebben en stelde voor dat ze daar met een van de verkoopmedewerkers over zou praten. Ze kwam met een nieuw voorstel, maakte een nieuwe demo en mocht uiteindelijk een item voor ouders maken van negentig seconden per dag, en een radiocolumn voor de zaterdagochtend.

Jacky zegt zelf dat ze niet erg geduldig is. Mensen als zij zijn de reden dat supermarkten caissières nodig hebben die speed slikken. Jacky vindt het geen enkel probleem om vier uur in een kledingwinkel door te brengen en daar het pashokje bezet te houden, maar het moet niet zo zijn dat ze voor de kassa in de rij moet wachten, want dan zal ze haar verzameling zorgvuldig uitgezochte kleding ergens neerleggen en het pand verlaten alsof er brand is.

Hoe is het juist Jacky dan gelukt om haar idee vijf ondankbare jaren lang te blijven pushen en haar voorstel niet gewoon te verscheuren en te vergeten? Ieder jaar kocht ze een nieuwe agenda waar ze in januari de jaarlijkse afspraken en de schoolvakanties in zette. Dan zette ze ook steeds weer de woorden 'programma voor ouders' op de eerste woensdagen van februari, mei, augustus en november. Wanneer ze dan bij zo'n woensdag kwam, schreef ze in haar agenda: 'Zoek de meest recente gegevens uit over moeders in onze doelmarkt. Zoek de meest recente informatie over de populariteit van programma's voor ouders. Zoek één bijzonder feitje over het ouderschap. En stuur alles naar Barry.'

Jacky bleef het project voor zichzelf naar voren halen. Iedere keer dat ze er prioriteit aan gaf, stelde ze een paar eenvoudige stapjes vast die ze kon nemen om te proberen het programma erdoor te krijgen. En elke keer dat ze die stappen ook had gezet, kreeg ze het gevoel dat ze iets had bereikt. Dat is het verschil tussen eeuwen bij de bushalte blijven wachten en besluiten om alvast naar de volgende halte te lopen. In beide gevallen wacht je nog steeds op die bus, maar het is veel bevredigender om stevig straat in straat uit te lopen dan gespannen in de verte te blijven turen.

Zoals Jacky het zo poëtisch uitdrukte: 'Wachten is stomvervelend.' Het is zo stomvervelend omdat je geen controle hebt wanneer je in de wachtstand staat. Wanneer je op Tweede Paasdag in een lange rij bij de meubelzaak staat, kun je toch moeilijk de kassa bestormen, de caissière opzijduwen en zelf alvast je meubels gaan inscannen. Wanneer je een vlucht naar Nieuw-Zeeland met een tussenstop in Bangkok wilt boeken, kun je heel hard in de telefoon gaan gillen, maar daardoor zal de medewerker van de vliegmaatschappij je echt niet sneller uit de wacht halen. Je kunt de tijd niet sneller laten gaan. En je kunt beslissingsnemers ook niet dwingen jou op een bepaalde dag een antwoord te geven (waar je evengoed nog op moet wachten) als ze dat helemaal niet willen.

Het enige wat je kunt doen is grondig zoeken naar die elementen die je nog wel kunt controleren en je daarop richten. Zo stelde Jacky een schema voor zichzelf op om met feiten gevulde e-mails naar haar programmadirecteur te sturen om hem tot actie aan te zetten. En hier is nog een ontnuchterend feit: Jacky zegt dat het niet eens aan die e-mails te danken is, in ieder geval niet direct, dat ze uiteindelijk heeft gekregen wat ze wilde. Zij denkt dat, als ze niet toevallig met die salesmanager had gesproken, ze nu nog steeds e-mailtjes aan de programmadirecteur zou sturen. En dan zou hij nog steeds de knop 'verwijderen' aanklikken en haar op de gang ontwijken. Maar ze denkt wel dat, als ze het idee na haar eerste poging al had opgegeven, ze er ook niet bij de lift een praatje over had gemaakt met de salesmanager. En dan zou ze vandaag zeker geen miniprogramma's voor ouders maken.

Laten we de band nog eens terugspoelen en kijken wat er was gebeurd als Jacky, vier jaar nadat ze haar idee had opgegeven, toevallig de salesmanager tegengekomen was. Dan zou hun gesprek zo kunnen zijn verlopen:

'Ik had ooit een idee voor een programma voor ouders,' zegt Jacky.

'Maar dat is niet echt ons ding. Wij richten ons op vrouwen op de werkplek,' zegt de salesmanager.

'Dat weet ik, maar veel vrouwen binnen onze doelgroep hebben ook kinderen.'

'Ja, dat kan best, maar wij zijn het "op het werk"-station, niet dat van "thuis". En hoe is het op de redactie?'

'Ja, prima. Maar toch, weet je: dat programma voor ouders dat ik voor ogen had, zou echt aangeslagen zijn bij ons publiek, hoor. Ik weet niet waarom Barry er niet op ingesprongen is.'

De lift komt eraan.

'Maar dat zeg ik toch, Jacky? Het is niet ons ding. Waar moet jij heen?'

En zo verliep het gesprek in werkelijkheid:

'Heeft Barry weleens gezegd dat ik een geweldig idee heb voor een programma voor ouders?'

'Maar dat is niet echt ons ding. Wij richten ons op vrouwen op de werkplek.'

'Dat weet ik, maar veel vrouwen binnen onze doelgroep hebben ook kinderen.'

'Ja, dat kan best, maar wij zijn het "op het werk"-station, niet dat van "thuis"...'

'Ben je mal? Ik heb net een onderzoek gelezen waaruit blijkt dat negentig procent van de vrouwen minstens vijf keer per dag aan hun kinderen denkt. En weet je waar ze dan over denken? Ze overwegen of ze die avond weer het gevecht zullen leveren over het huiswerk; ze vragen zich af of hun dochter echt een paria is omdat ze geen hippe kleren draagt. Man, ik weet zeker dat mensen hun koffiepauze rond zo'n programma zouden plannen, want het gaat over wat hen bezighoudt. Ik heb Barry net wat gegevens gemaild over hoe tijdschriften over ouderschap een enorme groei doormaken. Informatie over opvoeden is echt hot, weet je. Ouders van nu zitten met de handen in het haar: die willen hulp.'

'Maar ja, een talkshow overdag is niet echt wat we normaal gesproken doen. Mmm... misschien kunnen we wat miniprogramma's laten sponsoren. Weet je wat? Ga er eens met Norma over praten. Dan kijken we of jullie wat in elkaar kunnen zetten om een klant ervoor te interesseren.'

De lift komt eraan.

'Wat bedoel je met een miniprogramma?'

'Nou, iets als "een minuutje opvoedadvies voor ouders, u aangeboden door Fresh Fruit Bars".'

'O ja. Nou, een minuut is wel vrij kort, maar het is een begin, natuurlijk...'

Jacky had dit gesprek niet kunnen voeren als ze haar project niet was blijven onderzoeken en promoten. Bovendien zei ze dat, als ze al jaren niet meer aan dat programma voor ouders had gedacht en de salesmanager had voorgesteld om een 'Tip van de dag voor ouders' te maken, ze daar waarschijnlijk niet eens voor open zou staan. Dat was namelijk niet precies wat ze in eerste instantie voor ogen had gehad. Ze zou er niet enthousiast genoeg voor zijn geworden om daarin flexibel te zijn. Maar na jaren van actief proberen een programma uitgezonden te krijgen, wilde ze in ieder geval iets doen. En dat werkte. Ze vond het heerlijk om de tips te maken en bovendien kon ze zich zo verder ontwikkelen op het gebied van schrijven over opvoeden.

Ongeduld leidt tot twijfel

Ongeduldige mensen hebben de nare gewoonte dat ze tijd voor zich zien als blaadjes die in vliegende vaart van een kalender waaien. Ze waarschuwen voortdurend dat, als er nu niet snel iets gebeurt, het te laat zal zijn. Maar ze vragen zich niet af waar het dan precies 'te laat' voor zal zijn. Het is nou niet alsof ze aftellen tot de dag dat de wereld vergaat terwijl ze met hun vingers op tafel drummen. Nee, achter die drang gaat angst schuil. Dat is niet zozeer angst dat de wereld in elkaar klapt voordat ze de kans krijgen om hun doel te bereiken, maar angst voor teleurstelling. Ze hebben er geen vertrouwen in dat wat ze willen dat er gebeurt ook echt gebeurt.

Ze maken zich druk dat iemand anders met hetzelfde idee als eerste over de finish zal gaan, dat mensen hen zullen vergeten, dat een of andere onvoorziene omstandigheid hen van hun pad zal dwingen. Ze willen hun doelen nu meteen bereiken, anders weten ze niet zeker of ze ze ooit wel zullen bereiken. Als iemand hun nou eens een garantie zou geven, zouden ze zich misschien een beetje kunnen ontspannen.

Mensen die hun eigen regenboog kleuren, weten dat de enige garantie degene is die je jezelf geeft.

Een cliënt van mij schreef haar eerste detectiveroman over het thema 'flessenwater', waarbij een watersommelier de amateurdetective was. Ze maakte zich ontzettend druk dat een al gevestigde schrijver met hetzelfde idee zou komen en als eerste een boek erover zou uitbrengen. Met het hart in de keel speurde Barbara daarom iedere zaterdag de zojuist gepubliceerde detectiveromans af om te kijken of er eentje ging over de harde wereld van de designwatertjes. Als ze door die zorgen nou aangedreven werd om dag en nacht aan de detective te schrijven, zou het geen probleem zijn geweest. Maar in plaats daarvan leverde haar ongeduld om het verhaal af te ronden en naar de uitgever te sturen haar juist een ernstig writer's block op. Barbara had haar tijd eigenlijk nodig om verschillende plots en karakters uit te werken, maar nu had ze niet het gevoel dat ze tijd overhad om te experimenteren.

Ik kon maar twee woorden tegen Barbara zeggen: 'Nou en?' Wat geeft het als een andere auteur met een boek komt dat een vergelijkbaar thema heeft? Een professor in de literatuur heeft me jaren geleden eens verteld: 'Nieuwe ideeën bestaan niet, alleen nieuwe benaderingen.' We leven in een kopieercultuur. Zodra er een volslagen nieuw product, een nieuwe service, een nieuwe techniek, een nieuw boek of een nieuwe film uitkomt, komen er onmiddellijk ook tientallen imitaties achteraan. In een tijdperk waarin bijna ieder idee in een oogwenk gekopieerd kan worden, win je als jij iets als beste doet, niet per se als je het als eerste doet.

Ongeduldige mensen denken bijna altijd aan hun project als aan een vlucht die ze niet mogen missen. En wat gebeurt er dan als je onderweg naar het vliegveld in een verkeersopstopping terechtkomt en je chartervlucht, waar je geen geld voor terugkrijgt, zonder jou vertrekt? Dan vloek je hard, voel je je ontzettend rot en ben je kwaad op jezelf en de hele wereld. Dan ga je naar huis en naar bed. Dit is het eindpunt van de rit.

Mensen die hun eigen regenboog kleuren, beschouwen hun project niet als de vlucht, maar als de bestemming zelf.

Ze missen misschien een paar vliegtuigen naar New York en ze moeten misschien een paar tussenstops maken, maar ze weten dat ze er op een of andere manier ooit wel komen.

Notitie voor jezelf

Voor degenen onder ons die hun motor flink laten ronken voor het rode licht, kunnen doelen die wat meer tijd vragen een rustiger benadering eisen dan we kunnen opbrengen. Als je rusteloos bent, vraag je dan af: 'Waarom moet ik per se deze week een antwoord of een resultaat krijgen?' Negen van de tien keer zul je geïrriteerd antwoorden: 'Omdat ik dat nodig heb om naar de volgende stap te gaan.' Toch is er een kans dat je ook iets anders, misschien maar iets heel kleins, zou kunnen doen om ondertussen je doel een stapje dichterbij te brengen. Je zult wel zeggen dat er wel wat kleine stappen zijn die je zou kunnen nemen, maar dat je zonder de belangrijkste stap je deadline niet zult halen. Overweeg dan of je je deadline kunt opschuiven. Als je zelf de datum hebt bepaald, kun je hem toch zelf opschuiven, als je dat wilt? Deadlines zijn heel goed om je gemotiveerd te houden, maar je hoeft ook weer niet van elke deadline een kwestie van leven of dood te maken. Natuurlijk, als je met een limiet te maken hebt waar je je echt aan moet houden, heb je geen andere keuze dan te eisen dat mensen je een antwoord of de bijdrage geven die je nodig hebt vóór een bepaalde tijd. Maar als je vasthoudt aan een deadline die je jezelf gesteld hebt en die onrealistisch voor je blijkt, koers je af op een mislukking als je niet flexibel bent.

'Geduld is ook een vorm van actie'

Jason, die Ferrari's verkoopt, moest op zijn werk leren geduld te hebben, anders kon hij een ander soort baan gaan zoeken. Hij haalt zijn inspiratie uit een citaat van de Franse beeldhouwer Auguste Rodin: 'Geduld is ook een vorm van actie.' Een Ferrari is nu niet bepaald een impulsaankoop, zelfs niet voor mensen die 250.000 dollar kunnen missen voor een auto. Voor Jason is bijna iedere verkoop het resultaat van een zeer langzame en ingewikkelde dans met de klant, waarbij hij lange perioden als een muurbloempje aan de kant zit.

Net als Jacky doet Jason bij iedere interactie zijn uiterste best en stuurt hij met enige regelmaat op maat gemaakte, verleidelijke informatie over de auto aan de geïnteresseerde klant. Maar tussen die momenten door, wanneer de potentiële klant uit het zicht is, zet Jason hem uit zijn hoofd en concentreert hij zich op andere dingen. Hij zegt dat, als hij dat niet zou doen, hij helemaal gestoord zou worden van het wachten, hopen en verlangen.

Jason houdt zijn obsessie in toom door heel bewust te geloven dat de deal uiteindelijk wel door zal gaan. Hij blijft geestelijk gezond door 'uiteindelijk' te definiëren als 'twee tot vijf jaar'. Jason legt uit: 'Ik kan me ontspannen, omdat ik ervan overtuigd ben dat ik een positief resultaat zal boeken als ik maar mijn uiterste best doe om goede contacten op te bouwen met potentiële kopers en hun interesse vasthoud. Maar ik werk mijn ongeduld weg door mezelf te vertellen dat het niet morgen zal gebeuren, of zelfs volgend jaar.'

Ongeduldige mensen die het voor elkaar krijgen om hun regenboog te kleuren, waarschuwen ervoor dat, als ze wel toegeven aan negatieve gevoelens, er twee dingen zouden kunnen gebeuren: óf ze komen over als opdringerig of zelfs wanhopig agressief, waardoor ze anderen afschrikken, óf ze geven het gewoon op uit frustratie. Net als Jason zorgen mensen die hun eigen regenboog kleuren er daarom voor dat ze bewust realistische deadlines stellen voor hun projecten. Daardoor kunnen ze zich op het proces concentreren in plaats van onmiddellijk resultaten te eisen van zichzelf en van anderen.

Samenvatting

- We worden ongeduldig als we iets niet kunnen laten gebeuren wanneer en hoe we dat zelf willen. We worden helemaal gek wanneer we geen controle hebben. De meest effectieve manier om je ongeduld te verhelpen is door een serie haalbare ministappen op te stellen.
- Uiteindelijk zit er achter onze haast de angst dat, als we onze ambitie nu niet verwezenlijken, we dat om diverse redenen misschien wel nooit kunnen doen. Er is geen enkele garantie dat de concurrentie je niet in zal halen of dat andere onvoorziene omstandigheden je niet dwingen om een andere route te nemen. Misschien moet je tussen hier en daar je benadering een beetje aanpassen, maar zolang je doorgaat met je eigen regenboog kleuren, kun je er zeker van zijn dat je je plannen kunt waarmaken.
- Richt je op het proces en niet op de deadlines. Dan zul je ontdekken dat je eigenlijk veel geduldiger bent dan je ooit had gedacht. En herinner jezelf herhaaldelijk aan dat beroemde citaat: 'Geduld is ook een vorm van actie.'

Oefening

Een deadline ontwerpen die voor jou werkt

Een deadline is een bruikbare stok achter de deur waarmee je tot actie wordt aangezet. Hij legt een gevoel van urgentie op dat je motiveert om niet meer uit te stellen en de race tegen de klok te beginnen. Maar een deadline is alleen bruikbaar als hij ook realistisch is. Een onmogelijke deadline is als een onoplosbaar wiskundevraagstuk. Na je eerste poging leg je je neer bij het feit dat je inspanningen hopeloos zijn en geef je het op.
Een van mijn cliënten was een ontevreden senior leidinggevende die genoeg begon te krijgen van zijn werk in het bankwezen. Een paar jaar eerder had hij al geprobeerd om een baan te vinden in een totaal andere sector. Toen had hij een professionele cv-schrijfservice ingeschakeld en zichzelf vier maanden gegeven om een hoge positie in een nieuwe bedrijfstak te vinden. Toen hij nog geen aanbieding had tegen de tijd dat zijn zelf opgelegde deadline verstreken was, zei hij tegen zichzelf dat hij er dan wel nooit een zou krijgen. Ik stelde voor dat we een overgangsplan van achttien maanden zouden aanhouden. En toen gingen zowel zijn houding als zijn resultaten er zienderogen op vooruit.
Stel jezelf een deadline, maar laat je ongeduld je er niet toe verleiden om zomaar een datum uit de lucht te plukken. Mensen die hun eigen regenboog kleuren, weten dat de enige goede deadline een haalbare deadline is. Beantwoord de volgende vragen om ervoor te zorgen dat je deadline een eerlijke deal met jezelf is.

1. Wat is je deadline?

2. Wat moet er gebeuren om ervoor te zorgen dat je deze deadline haalt?

3. Wat ligt er in jouw macht om dat te bereiken?

4. Wat zou voor vertraging kunnen zorgen, waar je geen invloed op hebt?

5. Wat kun je doen om vooruit te blijven gaan op je pad terwijl je ergens op wacht?

6. Kijk nog eens naar je antwoorden op de vorige vragen. Is de deadline die je jezelf hebt gesteld realistisch?

17

Ja, maar wat als het mislukt?

Is het echt waar dat het beter is van iemand te hebben gehouden en die te hebben verloren dan nooit van iemand te hebben gehouden? Het antwoord hangt af van het moment waarop je die vraag stelt. Als je net je relatie hebt verbroken, zeg je vast: 'Nee hoor, dat is helemaal niet waar.' Als je het voor het kiezen had, zou je liever niet dagen- en nachtenlang op de bank doorbrengen terwijl je ondertussen je tranen van de afstandsbediening veegt en alleen maar tortillachips eet. Maar als je die vraag tien jaar later nog eens stelt, tijdens een weekendje weg met goede vrienden, dan maak je een fles wijn open en kijken jullie vrolijk terug op de hoogte- en dieptepunten van de hele affaire. Natuurlijk kunnen die oude wonden nog steeds zeer doen, maar dan kun je in ieder geval een dramatisch verhaal vertellen.

Hetzelfde principe geldt voor de vraag of het beter is om iets te hebben geprobeerd dat vervolgens mislukte dan nooit iets te hebben ondernomen. In zijn boek *Stuiten op geluk* heeft Daniel Gilbert allerlei onderzoek samengevat dat aantoont dat we beter een risico kunnen nemen dan op safe spelen. Hij concludeert dat mensen van iedere leeftijdsgroep en achtergrond achteraf meer spijt hebben van iets wat ze niet hebben gedaan dan van wat ze wél hebben gedaan. Dat komt deels doordat het gemakkelijker is voor jezelf een mislukking te rechtvaardigen dan voor jezelf te verdedigen dat je iets niet durfde en daarom niets gedaan hebt. We juichen onszelf en anderen toe als we iets geprobeerd hebben, zelfs wanneer dat niet is verlopen zoals we gehoopt hadden. 'Ik heb mijn best gedaan' is een eremedaille. 'Ik heb het niet eens geprobeerd' is een smet op onze reputatie.

Rogier is hiervan het volmaakte voorbeeld. Hij had een delicatessenwinkel opgezet die het prima deed, maar opende te snel daarop een tweede winkel op een andere locatie, die failliet ging. Toen ging hij zelf ook failliet. Als je hem in de periode waarin hij steeds dieper in de schulden raakte, had gevraagd of hij spijt had van zijn gedurfde zet, zou hij een pot hete chilipepers naar je hoofd hebben gegooid. Maar met de tijd gaan we dingen in een ander licht zien. Als je het hem nu vraagt, zal hij je vertellen dat hij enorm veel geleerd heeft van die ervaring en dat hij als gevolg daarvan een veel betere zakenman is geworden. En op dit moment werkt hij zelfs als franchiseconsultant.

'Hoe zou je leven eruit hebben gezien als je niet had geprobeerd je zaak uit te breiden?' vroeg ik hem.

'Tja, dat heb ik me ook heel vaak afgevraagd,' zei hij. 'Ik denk dat ik dan nu in mijn oorspronkelijke zaak had gezeten en het gevoel zou hebben gehad dat ik meer zou kunnen en moeten doen. Ik denk dat ik me dan gefrustreerd zou voelen en teleurgesteld in mezelf zou zijn.'

Niet in actie komen lijkt misschien veilig, maar terwijl de jaren verstrijken, begint het steeds meer als lafheid te voelen en te klinken. De angst om te mislukken komt voort uit onze zorg dat wat we ondernemen ons in een ergere situatie brengt dan waar we nu zijn. Je maakt je zorgen dat, als je tijd, geld, energie en je reputatie investeert in een idee dat verkeerd afloopt, je niet alleen terug bij af bent, maar er ook emotioneel en financieel bij inschiet.

Je hebt een geweldige reputatie op je werk. Ga je dat in gevaar brengen door aan te kondigen dat je een totaal nieuwe, onconventionele markt gaat aanboren? Wat gebeurt er als het uiteindelijk niet wil lukken op dit gebied? Dan ben je op kantoor ineens niet meer de held. Maar ja: iedere kantoorheld moet wel af en toe een nieuwe manier vinden om te blijven schitteren, want anders wordt hij overschaduwd door nieuwe helden. Aan de andere kant: als je het risico neemt, zou die tak weleens onder je gewicht af kunnen knappen. Is dat het waard? Ja, dat is het zeker waard. Al was het maar omdat mislukking en gebrek aan actie allebei tot hetzelfde resultaat leiden: spijt. Maar met mislukking kun je tenminste nog opscheppen over je pogingen, kun je zeggen dat je iets hebt geleerd en kun je er sterker van worden en weer op weg gaan. Als je je eigen regenboog niet kleurt, blijf je maar wat met je twijfels spelen. Eerst ga je zitten denken over hoe geweldig dingen wel niet hadden kunnen zijn. Dan ga je zitten denken over wat er voor verschrikkelijks had kunnen gebeuren. Dan ga je weer denken over hoe geweldig het had kunnen zijn... tot vervelens toe.

Hoe vind je nog enige wijsheid tussen de puinhopen?

Natuurlijk: je kunt zeggen dat we leren van onze fouten, maar het is heel iets anders om nog enige wijsheid te vinden tussen de puinhopen. Mensen die hun eigen regenboog kleuren, worden daar erg bedreven in. Van hier naar daar gaan is tenslotte iets heel anders dan in de lift stappen en op het knopje naar het penthouse drukken. Meestal is het eerder een kwestie van twee stappen vooruit, één achteruit.

Als je mensen die hun regenboog kleuren tot in detail hoort uitleggen hoe ze verschillende fiasco's te boven zijn gekomen, wordt al snel duidelijk dat het geheim van vallen en opstaan is dat je jezelf los ziet van je mislukking. Met andere woorden: mensen die onderweg naar hun doel struikelen, staan stil en denken na waarom ze dat gat in de weg niet gezien hebben, maar ze beschouwen zichzelf in geen geval als hopeloze klunzen.

Als je iets van een mislukking wilt leren, moet je deze niet persoonlijk opvatten. Mensen die hun eigen regenboog kleuren, schrijven hun falen meestal toe aan een gebrek aan informatie, een onschuldige rekenfout, of aan omstandigheden die ze niet hebben kunnen beïnvloeden. Ze houden zichzelf wel verantwoordelijk, maar geven zichzelf niet de schuld. En daartussen bestaat een groot verschil. Als je jezelf verantwoordelijk houdt, erken je namelijk dat je de macht hebt om keuzes te maken en de kracht om de verantwoordelijkheid daarvoor te dragen. Als je vanuit zo'n perspectief van macht te werk gaat, kun je rustig naar een teleurstellende situatie kijken en je afvragen wat je anders had kunnen doen. Als je jezelf de schuld geeft, betekent dat dat je jezelf iedere ochtend voor de badkamerspiegel met de haarborstel op je hoofd slaat en zegt: 'Ik ben waardeloos.' Aangezien mensen die hun eigen regenboog kleuren een mislukking niet als een persoonlijke tekortkoming zien, gebruiken zij hun haarborstel niet als hamer.

Een zeer gewilde schaatstrainer vertelt hoe ze kiest tussen de vele kunstschaatsers die graag met haar willen trainen: 'Het maakt me niet uit hoeveel keren ze vallen,' zegt ze. 'Ik let op hoeveel keren ze ook weer opstaan. Ik kan alleen maar werken met mensen die weten dat ze zelf hun fouten niet zijn; dat zijn de mensen die echt geloven dat ze zichzelf kunnen verbeteren.'

Natuurlijk is de persoon die direct van een ramp tot kalme beschouwing over kan gaan, zonder daarbij de goden te beschimpen en beschuldigen, een zeldzaamheid. Maar als je de frustratie eenmaal uit je systeem hebt gewerkt, zeggen mensen die hun eigen regenboog kleuren dat de volgende stap is om wat koffie te zetten, zich te ontspannen en naar je situatie te kijken alsof het de puzzel in de zaterdagkrant is. Blijf een beetje afstand houden terwijl je kijkt naar wat er van tevoren op een mislukking wees. Het doel is om uit te zoeken waarom de dingen fout gingen zodat je het probleem kunt oplossen, een manier kunt zoeken om dat probleem te vermijden, of het desnoods te accepteren.

'Waarom heb ik gefaald?' versus: 'Wat had ik anders kunnen doen?'

Toen Rogier zijn situatie bekeek, vroeg hij zich niet af: 'Waarom is het me niet gelukt?' In plaats daarvan stelde hij de vraag die alle mensen die hun eigen regenboog kleuren stellen wanneer ze een hobbel op hun weg vinden: 'Wat had ik anders kunnen doen?'

Het probleem met de vraag 'Waarom heb ik gefaald?' is dat je jezelf erop voorbereidt om beoordeeld te worden door de gemeenste criticus van iedereen: jij zelf. Deze vraag draagt namelijk inherent een verwijt in zich en leidt direct tot de klop met de haarborstel. 'Ik heb gefaald omdat ik geen hersenen, maar spaghetti in mijn hoofd heb. Ik ben een sukkel.' Dat zijn niet de bemoedigende gedachten die jou als een sterkere, wijzere persoon uit de strijd laten komen. Het is ook niet het soort denken dat je vrij zal maken om je eigen regenboog te gaan kleuren. Zoals we al eerder hebben gezien, heb je een avontuurlijke geest nodig als je je eigen regenboog wilt kleuren. En een avontuurlijke geest vereist weer de bereidheid om jezelf een paar verkeerde afslagen toe te staan terwijl je nieuw gebied verkent. Er is geen zakenman, wetenschapper, artiest of atleet op de wereld die nooit eens beoordelingsfouten heeft gemaakt op weg naar het succes. Oscar Wilde heeft ooit gezegd: 'Ervaring is gewoon de naam die we aan onze fouten geven.'

Wanneer je jezelf vraagt wat je anders had kunnen doen, verzacht je de zelfkastijding. Daardoor kun je sneller leren, oplossen en accepteren. Rogier heeft gezegd dat hij zijn financiën en de markt beter had kunnen analyseren voordat hij besloot een tweede zaak te openen. Zijn beslissingsproces was niet gebaseerd op goede informatie, omdat hij niet veel gegevens had. Dat leerproces heeft hem geholpen om een wijze businessconsultant te worden.

Zelfs wanneer we erkennen dat we het best kunnen leren door fouten te maken, blijven we toch vaak verlamd door faalangst. Falen lijkt veel op een pleister verwijderen: we denken van tevoren dat het veel meer pijn zal doen dan het eigenlijk doet. Natuurlijk doet het wel een beetje pijn en vinden we dat vervelend, maar daar zetten we ons wel weer overheen. Er zijn honderden onderzoeken die aantonen dat negatieve uitkomsten ons nooit zo lang of zo intensief beïnvloeden als we denken.

Toch zijn we er iedere dag weer van overtuigd dat we enorm geraakt zullen worden door allerlei positieve of negatieve gebeurtenissen die ons in de toekomst overkomen. We verwachten dat een promotie, een huisje aan het strand of een koelkast met een ingebouwde cocktailshaker ons eindeloos veel vreugde zal opleveren. Tegelijkertijd stellen we ons voor dat we dood zullen gaan als we onze baan verliezen, als onze relatie uitgaat of als we failliet gaan. Je zou denken dat we allemaal uit ons persoonlijke verleden weten dat, hoewel we korte perioden van geluk en depressie meemaken, we uiteindelijk zowel het goede als het kwade gewoon accepteren en ermee om leren gaan. En toch gaan we door met verwachten dat situaties de wereld zoals we die kennen, op hun kop zullen zetten. Meestal is de realiteit veel minder extreem dan de verhalen die we erover verzinnen. Die kunnen buitengewoon dramatisch zijn, maar ons werkelijke dagelijks leven is meestal aanzienlijk soberder dan we vertellen.

Zo ziet Nancy's cv eruit als de kolom overlijdensberichten in de krant. Ze heeft bij zoveel tijdschriften en gespecialiseerde kranten gewerkt die ter ziele gingen, dat mensen zich afvragen of ze vervloekt is. Maar terwijl uitgevers misschien wegduiken wanneer ze Nancy zien aankomen, laat het spoor van bankroete bedrijven dat ze heeft achtergelaten haar koud. Ze maakt er zich niet druk over wat ze doet of denkt als ze weer eens werkloos is. 'Ach, dat heb ik allemaal al eens eerder meegemaakt,' zegt ze lachend. 'Ik weet inmiddels wel hoe dat gaat. Eerst denk je: "O, mijn god, ik weet echt niet wat ik nu moet doen." Dan ga je denken: "Oké, ik moet weer greep op de situatie zien te krijgen" en uiteindelijk kom je met: "Goed dan, zo is het leven nu eenmaal. Ik zal eens kijken wat ik moet doen."'

'De eerste keer dat ik mijn baan kwijtraakte, was ik in paniek over mijn toekomst,' herinnert Nancy zich. 'Ik nam het eerste baantje dat ik kon vinden. Dat was bij een rommelig modenieuwsblad dat eigenlijk meer op een flyer leek. Dat krantje hield het niet meer dan vijf minuten vol. Daarna ging ik naar een nieuw stadsmagazine, dat een jaar nadat ik er kwam werken ter ziele ging. Daarna kwam een gratis uitgaansweekblad dat ten onder ging in ongeveer acht maanden. En dat is nog niet alles. Maar als gevolg daarvan weet ik wel dat ik een heel groot vermogen heb om te overleven. Dan gaat het goed, dan gaat het weer slecht en uiteindelijk gaat het wel weer een keer goed.' Tegenwoordig is Nancy een bijzonder soort freelancer, die niet in paniek raakt wanneer er weinig werk is, maar dan 's ochtends verhalen instuurt en 's middags gewoon naar de film gaat.

'Mislukking' klinkt erger dan het is

Mensen die hun eigen regenboog kleuren, weten uit ervaring dat mislukkingen niet zo traumatisch zijn als je denkt. Er zijn maar weinig situaties in het leven waar niet een mouw aan te passen valt, ook al betekent het dat de oplossing waar je uiteindelijk mee komt anders is dan wat je verwacht had. Maar je kunt altijd vertrouwen op de garantie die je krijgt als je je eigen regenboog kleurt: je weet niet altijd waar je doorzettingsvermogen je naartoe leidt, maar je komt altijd wel ergens.

Aan de andere kant: als je smoorverliefd bent op een specifieke droom, wil je daar misschien wel helemaal geen risico's voor nemen. Als dat je dilemma is, dan heeft de faalangst je stevig in de houdgreep.

Een droom kan zo bevredigend zijn. We voelen ons geweldig terwijl we in detail beschrijven hoe onze toekomst zich zal ontvouwen. Het is net als een lot kopen: vanaf het moment dat we het kopen tot op de dag van de trekking hebben we plezier, door te fantaseren over dat leuke chaletje in de bergen dat we gaan kopen als we winnen.

Laura vertelt aan iedereen dat ze schrijfster is. Het is haar identiteitskaart. Haar baan bij de bank is gewoon een manier om de rekeningen te betalen terwijl ze werkt aan haar typische vrouwenhumorroman over een moeder die in de overgang komt op het moment dat haar dochter in de puberteit raakt. Ze heeft de rode draad van de roman en dezelfde twee scènes al zo vaak aan zoveel mensen verteld dat ze het gevoel heeft dat ze het boek al geschreven heeft. Maar dat is niet zo.

Laura heeft de afgelopen vier jaar ongeveer 25 bladzijden geschreven en herschreven. Ik zou er niet om willen wedden dat ze ooit verder komt, omdat hoe meer Laura over haar project praat, hoe duidelijker het wordt dat ze het idee van schrijver zijn veel leuker vindt dan het schrijven zelf. Ze wil haar naam op de omslag van een bestseller zien waar een film van wordt gemaakt met Susan Sarandon en Miley Cyrus in de hoofdrollen. Zo lang ze over het project blijft praten, is dat echt genoeg om haar het gevoel te geven dat ze een auteur is die alle kans heeft op roem en rijkdom. Maar als ze het boek schrijft en naar literair agenten stuurt, en vervolgens niemand het leuk vindt, denkt ze dat ze niet alleen afgewezen wordt, maar dat ze ook van haar droom wordt afgesneden.

Ik vertelde over Laura's situatie aan een cliënt die haar eerste boek bijna af had. Had zij dezelfde angst? 'Nee hoor, helemaal niet,' zei ze. 'Mijn definitie van een schrijver is iemand die schrijft. Het kan nog heel lang duren voordat mijn werk wordt uitgegeven en misschien gebeurt het wel nooit, maar zolang ik op mijn computer boeken zit te schrijven, vind ik dat ik schrijver ben. Waarom niet?'

Michiel lijkt een beetje op Laura. Hij is een recruiter die het nu al ongeveer twee jaar heeft over het produceren van een serie videocasts voor jobhunters, voor zijn bedrijf. Samen hebben we het project in onderdelen opgedeeld en hebben we een microstappenplan uitgeschreven. Michiels werkgever vindt het een goed idee, maar oefent geen druk op hem uit om ermee door te gaan en Michiel voelt vanuit zichzelf al helemaal geen druk. Waarom niet? Michiel heeft fantastische ideeën, waar hij zichzelf niet in wil beperken. Als je hem erover ondervraagt, geeft hij toe dat hij het leuk vindt om korte filmpjes te bedenken en te bespreken die in de prijzen zouden kunnen vallen. Maar hij wil van het idee verzinnen direct overstappen op het podium waar hij zijn prijs in ontvangst neemt. Als hij er niet zeker van kan zijn dat zijn werk de erkenning van de hele bedrijfstak voor zijn talent oplevert, blijft hij liever lekker dromen.

Dromen kunnen nachtmerries worden

Na verloop van tijd kan een droom die nooit een of andere vorm krijgt, een nachtmerrie worden. Op een bepaald moment hangt hij over je heen als een grote mislukking. Het is ironisch dat de mislukking waar je bang voor bent vrijwel gegarandeerd is, niet doordat je stappen hebt genomen en onderweg blunders hebt gemaakt, maar juist doordat je niets hebt gedaan. Daarom heeft iedereen die zijn eigen regenboog kleurt dezelfde mentaliteit wanneer het om dromen gaat. Deze mensen weigeren te blijven hangen in fantasieën waarin iedereen nog lang en gelukkig leeft. In plaats daarvan blijven ze zich richten op het zeer realistische dagelijkse proces dat ze nodig hebben om hun doel te bereiken.

Faalangst kan ook worden opgeroepen door een andere, verrassende oorzaak: onze eigen achterban. Omdat we erop vertrouwen dat onze dierbare naasten ons alleen toewensen wat goed voor ons is, luisteren we goed wanneer ze ons voorspellen dat er niets goeds kan komen van ons uitstapje op nieuw terrein. Terwijl we luisteren naar hun doemvoorspellingen, beginnen we ons zorgen te maken. En ondertussen vergeten we te vragen wanneer en hoe ze toch aan die helderziendheid zijn gekomen waarmee ze onze toekomst zo feilloos kunnen voorspellen.

Het verhaal van Voula laat goed zien hoe dit werkt. Voula's familie had een accountantsbureau en vanaf het moment dat ze met haar eerste tien voor wiskunde thuiskwam, werd van haar verwacht dat ze als accountant of bedrijfsjurist in het familiebedrijf zou komen werken. Op 1 januari 2000 kondigde de meestal zo bedeesde Voula tijdens het feestmaal aan dat ze wilde stoppen met het archiveren van aangiften en in plaats daarvan een hbo-opleiding horeca wilde doen.

'Mijn vader zei: "Wij zijn een familie van zakelijke professionals, geen koks." Mijn moeder zei: "Je bent gek. Je maakt vreselijk lange uren en in zo'n keuken word je behandeld als oud vuil." Mijn oudere broer zei: "Daar ben je veel te oud voor. Zo krijg je toch nooit een baan?" Mijn zwager zei: "Daar zit helemaal geen geld. Hoe kun je dan je flatje blijven betalen?" Mijn zus zei: "Het is heet en vet in zo'n keuken. Je haar gaat kroezen en je krijgt huiduitslag."' Toen Voula tegen haar familie en vrienden zei dat ze altijd al chef-kok had willen worden, zeiden ze allemaal dat ze voor hen mocht koken wanneer ze maar wilde.

Voula moest toegeven dat iedereen wel een punt had. Dat jaar hield ze haar baan aan en kocht ze heel veel kookboeken. Maar op een dag zat ze zich zoals zo vaak bij een vergadering te vervelen, toen ze zich er opeens scherp van bewust werd dat iedereen rond de tafel griezelig eensgezind knikte op alles wat haar vader zei. Het oude cliché dat mensen net als schapen zijn, stond haar plotseling helder voor de geest. En op dat moment besefte ze dat wij mensen allemaal graag willen dat anderen hetzelfde denken als wij en hetzelfde doen als wij. Hetzelfde denken geeft veiligheid en saamhorigheid.

Een van de belangrijkste adviezen die ik ooit heb gehad, was afkomstig van een hoofdredacteur van een krant. Hij vertelde dat 'het geheim van alles' was om de oorspronkelijke bron van ieder stukje informatie of iedere mening na te trekken. 'Kijk naar de bron en dan zal alles je duidelijk worden,' zei hij van achter zijn bureau. Toen Voula op zoek ging naar de bron van het nadrukkelijke advies dat ze had gekregen, ontdekte ze iets wat een enorme impact op haar besluitvormingsproces had. De mensen in haar omgeving vonden het niet zozeer belangrijk wat ze wilde doen, maar vooral wat ze niet wilde doen. Ze wilde niet in hun voetstappen treden.

Toen Voula wat verder zocht, ontdekte ze dat haar vader ooit had overwogen om beroepstennisser te worden, maar dat hij zijn ambitie opzij had gezet voor wat hij als een slimmere carrièrezet had beschouwd. Hij had een nuchter en financieel verstandig offer gebracht en dat moest Voula dus ook doen. Haar broer vond zijn baan niet zo erg, maar zijn grootste persoonlijke bevrediging haalde hij toch uit zijn opnamestudio in de kelder. Als een hobby na werktijd goed genoeg was voor hem, waarom zou dat dan niet goed genoeg zijn voor Voula? Niet één van Voula's persoonlijke adviseurs had ooit in een keuken gewerkt, of dat gewild. Ze gaven Voula geen deskundig advies, maar wilden haar gewoon zover krijgen dat ze naar hun keuzes, hun opvattingen en hun angsten zou luisteren. Voula studeert inmiddels fulltime aan een school voor de culinaire kunsten.

Notitie voor jezelf

Kijk altijd waar de angsten van mensen voor jou vandaan komen. Wanneer iemand je vertelt over alle enge dingen die kunnen gebeuren als je je plan doorzet, draai er dan niet omheen, maar stel rechtstreeks de vraag, zo nodig zelfs een beetje agressief: 'Hoe weet je dat nou?' Je zult waarschijnlijk ontdekken dat hun informatie erg oppervlakkig is. Meestal halen mensen een vriend van een vriend aan of zeggen ze dat ze het ergens gelezen hebben. Als je dat gepast vindt, kun je naar hen kijken alsof ze jou zojuist verteld hebben dat de maan uit brie bestaat, je hoofd schudden en zeggen: 'Waarom zou ik door één artikel of door een ervaring van horen zeggen van één persoon, die ik niet eens ken, mijn hele leven laten beïnvloeden?' Als je diplomatieker te werk moet gaan, kun je altijd zeggen: 'Ik zal dat punt eens onderzoeken en het er dan nog eens met je over hebben.' Vergeet niet om zeer veel nadruk op het woord 'onderzoeken' te leggen. Als het echt om ervaring uit de eerste hand gaat, leer er dan van wat je kunt en stel dan deze vraag: 'Is het dan niet mogelijk dat er ook mensen op de wereld zijn die het wel gelukt is?' Dan zegt die persoon waarschijnlijk: 'Ja, maar...' Praat door die 'maar' heen en zeg: 'Fijn, dat is wat ik wilde weten.' De religieuze schrijver Edwin Cole heeft ooit geadviseerd: 'Laat iemand anders jouw wereld niet voor je creëren, want iemand die dat doet, maakt hem altijd te klein.'

Zorg ervoor dat je met je eigen angst worstelt, niet met die van iemand anders

We hebben allemaal zelf al angsten genoeg. We hoeven niet ook nog eens de angsten van andere mensen op ons te nemen, hoe goed ze het ook bedoelen. Als we met angsten gaan worstelen, kunnen we toch tenminste ervoor zorgen dat we onze eigen angsten onder ogen zien. Je eigen regenboog kleuren betekent verandering, en verandering is altijd bedreigend. Net zoals het ongelukkig getrouwde stel jou aanraadt je eigen ellendige relatie niet op te geven, maken mensen die bereid zijn de boel op te schudden en het risico te nemen dat het hun niet lukt, anderen flink zenuwachtig.

Mensen die hun eigen regenboog kleuren, erkennen dat een zekere mate van mislukking gaandeweg onvermijdelijk is. Ze beschouwen mislukkingen als tegenslag, niet als persoonlijk tekortschieten. Integendeel, alle succesvolle mensen die ik heb gesproken, waarderen zichzelf overduidelijk omdat ze hun doelen hebben nagejaagd, ook al werden ze op bepaalde momenten gefrustreerd en gingen ze soms zelfs onderuit, door de ongefundeerde beslissingen die ze hadden genomen of door omstandigheden waar ze geen invloed op hadden. De teleurstellingen en hindernissen konden ze goed verdragen. Wat ze niet konden verdragen, was gebrek aan actie.

Samenvatting

- Als je aan een verlammende faalangst lijdt, denk er dan aan dat het veel gemakkelijker is om fouten te rechtvaardigen en te accepteren dan gebrek aan actie, zelfs voor jezelf.
- Mislukkingen zijn nooit zo pijnlijk als we van tevoren verwachten. We overdrijven altijd hoe we ons in de toekomst zullen voelen.
- Het staat vast dat, wanneer je een bepaalde actie onderneemt, je geen garantie hebt dat je droom een sprookjeseinde zal hebben. Maar je zult in ieder geval een waargebeurd verhaal te vertellen hebben, of dat nu goed of slecht afloopt, dat meer betekenis en meer impuls aan je leven geeft dan wanneer je je doel nooit had nagejaagd.

Oefening

Brieven uit de toekomst

We hebben allemaal weleens teruggedacht aan de tweesprongen op ons pad en ons afgevraagd wat er gebeurd zou zijn als we hadden besloten iets anders te doen. Vandaag sta je weer voor zo'n tweesprong. Ga je je idee uitwerken of niet?

Om je te helpen beslissen, moet je eens vooruitspoelen naar je verjaardag over vijf jaar door de blanco gedeeltes in de volgende twee brieven in te vullen. Ze zijn geschreven om je alvast een kijkje te geven in hoe je je jaren na vandaag misschien voelt als je wel of niet het pad van je ambitie hebt bewandeld.

Ik heb mijn regenboog gekleurd:

Beste ...,

Ik kan haast niet geloven dat het al vijf jaar geleden is sinds ik je voor het eerst heb geschreven over mijn plan om ...
Ik kan me nog herinneren dat ik me toen afvroeg of het me echt zou lukken. Nou, het is dus gelukt.
Ik weet nog dat ik alle redenen opsomde waarom ik er niet mee door zou gaan. Ik was veel te veel ...
Ik denk dat ik alle mogelijke excuses heb verzonnen om het niet te doen. Maar toen kwam het keerpunt. Ik besefte dat ik over vijf jaar ... jaar oud zou zijn. (Gek dat het nu niet zo oud klinkt als het toen leek, hè?) Ik dacht: als ik zo oud ben geworden, voel ik me geweldig als ik ...
of als ik zo oud ben geworden, zal ik spijt hebben omdat ik niet

...
Dus op dat moment besloot ik dat ik de eerste microstap in die richting zou zetten en dat ik door zou gaan met microstappen nemen, het pad omhoog en weer omlaag en door wat modderige stukken volgend, tot ik mijn doel had bereikt. Wat me op mijn pad hield, was het vertrouwen dat ik op de juiste weg was, omdat ...

Vandaag ben ik blij dat ik ...
Dingen die ik nu doe en die me echt een goed gevoel geven, zijn ...
Wanneer ik mensen spreek, willen ze altijd weten ...
En wat is er nog meer veranderd in mijn leven? Ten eerste ben ik niet meer dezelfde als vijf jaar geleden. Mijn relatie met mezelf is veranderd. Ik ben minder ... en meer ...
En mijn relaties met ... zijn ook veranderd doordat ik ...
Vijf jaar geleden heb ik mezelf beloofd dat ik op deze verjaardag op mezelf zou proosten, en dat zal ik ook doen. Ik hef het glas op mezelf, omdat ...
Ook proost ik op de toekomst en ik wens jou ook alle goeds toe.

Liefs,

Ik heb mijn regenboog niet gekleurd:

Beste ...,

Weet je nog dat ik vijf jaar geleden dat grote idee had om ...
Ik ben er nog steeds van overtuigd dat het een heel goed idee was. Maar ik heb er nooit iets mee gedaan. Als ik erop terugkijk, was ik gewoon te ... en ... om er echt mee door te gaan. Of ik dat jammer vind? Nou, zo nu en dan betrap ik mezelf erop dat ik me afvraag of ...
Waarschijnlijk dacht ik dat er uiteindelijk vanzelf wel iets zou gebeuren, zonder dat ik hoefde ... zodat ik tegen deze tijd wel ...
Het gekke van tijd is dat de jaren voorbij kunnen vliegen, maar je toch het idee hebt dat je niet veel opgeschoten bent. Als ik de afgelopen vijf jaar over mocht doen, zou ik ...
Ik ben nog steeds ... en dat vind ik nog steeds ...
Ik heb nog steeds hoop en zit nog steeds te wachten op ..., net als vijf jaar geleden.
Dus wat heb ik nou geleerd? Ik heb geleerd dat ...

Liefs,

Epiloog

Ik moet iets bekennen. Ik heb er jaren over gedaan om dit boek te schrijven. Vaak stond ik op het punt om het half afgeschreven manuscript op een stapel incomplete manuscripten te gooien die ergens in een doos liggen. Bij iedere 'maar' die ik in deze hoofdstukken heb besproken, heb ik het bijna opgegeven. Ik geef toe: ook ik heb aan mijn passie getwijfeld. Toen een literair agent me voorstelde om naar aanleiding van mijn onderzoek een boek te schrijven in plaats van dit boek, heb ik maanden zitten dubben. Ook ik heb me afgevraagd of deze onderneming wel het beste was wat ik met mijn tijd kon doen. Ook ik ben mijn energie kwijtgeraakt. Ik heb dit boek in eerste instantie in eigen beheer uitgegeven, zonder enig idee hoe ik dat moest aanpakken. Ook ik heb me afgevraagd of dit het geld wel waard was dat ik erin moest steken. Ik was ongeduldig over mezelf en over het proces. Ook ik heb in boekwinkels rondgelopen en me afgevraagd of het wel zin had. Of ik last heb gehad van twijfels en zelfkritiek? Moet je me dat nog vragen?

Zoals ik in de inleiding al heb verteld, heeft mijn moeder nooit geweten hoe ze haar eigen regenboog moest kleuren. En de appel viel niet ver van de boom. Dit boek is daarom niet alleen een verzameling beproefde strategieën die voor mijn cliënten effectief bleken, maar het is ook een verslag van mijn persoonlijke reis. Dat lijkt misschien vreemd als je kijkt hoe lang ik mensen al help hun doelen te bereiken, maar iedereen weet dat het lastig is om voor jezelf te doen wat je voor anderen doet. Ik neem mijn plaats in de rij in, achter managers die iedereen rust gunnen behalve zichzelf, achter accountants die zelf hun belastingen te laat betalen en achter een beroemde hypnotiseur met slaapproblemen. Toen hij me had verteld dat dat echt geen grap was, heb ik geprobeerd hem gerust te stellen door toe te geven dat ik zelf een regenboogexpert ben met een onafgemaakte detective, voor de helft geschreven memoires en een handjevol beursaanvragen in een la. En ook ik maak geen grapje.

Het feit dat je dit boek leest, is dus het krachtigste bewijs dat ik kan leveren dat – als je de ideeën en strategieën van deze hoofdstukken doorleest – je je doelen kunt bereiken. Voor iedereen zal dit proces weer anders verlopen. Ik heb zelf niet altijd de wijze woorden van mensen die hun eigen regenboog kleuren op mijn eigen situatie toegepast. Maar net als fragmenten van een liedje dat in je hoofd blijft hangen, bleven hun ideeën in mijn hoofd hangen.

Toen mijn eigen leven idioot druk werd en ik geen spatje energie voor dit project overhad, werd ik achtervolgd door het idee om slechts één microstap te zetten. Uiteindelijk gaf ik toe en sloot ik een pact met mezelf dat ik iedere dag één idee in een notitieboek zou zetten. Wanneer ik er ongeduldig over werd hoe lang dit project nu al duurde, herinnerde ik mezelf er steeds aan dat ik geen vliegtuig hoefde te halen en dat weerhield me er elke keer van om het bestand te wissen, wanneer ik weer een aanval van rusteloze dadendrang had. Ik veranderde mijn strijdkreet 'Deze keer lukt het me wel!' in een ochtendgezang dat me hielp om die oude gewoonte – de reis opgeven voordat ik eraan was begonnen – te doorbreken. Mijn 'brief uit de toekomst' werd mijn manifest. Ik heb hem ingelijst en expres boven een foto van mezelf gehangen waarop ik lezend in een hangmat onder een palmboom lig. Ik moest stoppen met tegen mezelf zeggen dat ik liever zou lezen dan naar een leeg computerscherm staren terwijl ik de aanloop naar weer een nieuw hoofdstuk probeerde te bedenken.

Door mijn eigen worsteling weet ik dat, als je op zijn minst deze regenboogstrategieën in je achterzak blijft houden, je uiteindelijk je doorbraken wel zult bereiken. Wanneer ik terugdenk aan mijn wankele voortgang, komt me een incident voor de geest uit de tijd dat ik begin twintig was. In die tijd had ik een heel oude televisie met kuren, die alleen aanging wanneer je er op een bepaalde plek op sloeg. En één klap was niet altijd genoeg: soms moest je er echt een paar keer achter elkaar op slaan. Speciaal daarvoor bewaarde ik een schoen bij de televisie. Die gaf ik dus een keer aan een vriend die op een dag was langsgekomen om een bepaald programma te zien. Hij gooide hem meteen in een hoek en vervolgens heeft hij veertig minuten staan rommelen aan het toestel. Uiteindelijk ging hij zitten en staarde naar het zwarte scherm terwijl ik doorging met naar het plafond kijken. Net voordat zijn programma was afgelopen, pakte hij eindelijk de schoen. Als ik toen had geweten dat ik me zelf ook zou verzetten tegen strategieën waarvan vaststond dat ze werkten, zou ik niet zo zelfingenomen hebben gelachen. Maar hoe dan ook: waar het om gaat, is dat, als je eenmaal van het bestaan van de schoen weet, je hem vroeg of laat wel gaat gebruiken.

De enige motiverende kracht waar je op kunt bouwen, is dat succes weer een inspiratiebron is voor succes. Als je een bepaalde barrière doorbreekt, zul je ook een andere barrière weten te doorbreken. Als je één plan doorzet, zul je daarna nog een plan doorzetten. Ik verbaasde me er altijd over hoe snel mijn cliënten overgingen van het bereiken van het ene doel naar beginnen aan het volgende. Nu heb ik zelf ervaren dat, zodra je eenmaal je regenboog hebt gekleurd, er geen weg terug meer is. Dan ben je niet meer dezelfde persoon als toen je met je project begon. Dat komt doordat je eigen regenboog kleuren een mentaliteit is.

Als je eenmaal een deal met jezelf hebt gesloten dat je gaat doen wat bij jou past, is het ronduit onmogelijk om ooit nog te denken dat je aan anderen bent overgeleverd om je ambitie waar te maken. Dan geloof je niet meer in je tijd verdoen terwijl je hoopt dat er geld komt of dat er contacten uit de lucht komen vallen of dat er allerlei handleidingen op je deurmat vallen. Je weet dat de timing en de omstandigheden nooit ideaal zijn, maar omdat je de avontuurlijke mentaliteit van je eigen regenboog kleuren hebt ervaren, verander je in een onderzoeker. Je accepteert dat je ongetwijfeld situaties zult tegenkomen die je niet hebt voorzien, maar je bent er niet meer van onder de indruk, omdat je weet dat je wel een manier zult verzinnen om bijna alles op te lossen.

Ik heb dit boek niet zo snel afgerond als ik had kunnen doen, maar het kleine verwijt dat ik mezelf daarover maak, is niets vergeleken bij de enorme pluim die ik mezelf geef voor het feit dat ik het mooi wel gedaan heb. Ik ben erg tevreden over mezelf. En daar draait het allemaal om. Deze onderneming heeft mijn relatie met mezelf verstevigd. Ik heb het gevoel dat ik mezelf goed heb gedaan.

Tijdens het hele proces ben ik steeds mijn motivatie blijven onderzoeken voor het doorzetten van mijn ambitie. Ik wil je op het hart drukken dat ook steeds bij jezelf te checken. Zelf wilde ik graag aan mensen laten zien dat ik het onweerlegbare bewijs had verzameld dat je regenboog kleuren echt werkt: het is haalbaar, het levert resultaten op en wanneer je de strategieën voor volhouden ondanks twijfel en tegenslag toepast, krijg je een geweldig goed gevoel over jezelf. Deze kennis overdragen was de beste manier die ik kon verzinnen om mensen te helpen hun doel te bereiken. En mensen op een praktische manier helpen geeft me een goed gevoel. Daarom had ik er vertrouwen in dat dit het juiste project voor me was. En wat met vertrouwen begint, eindigt met resultaten en voldoening.

Ik ben ervan overtuigd dat iedereen die dit leest, zijn eigen regenboog kan kleuren. Alleen al dit boek doorbladeren is de eerste microstap waarmee je het moeras kunt oversteken dat tussen je ambitie en de vervulling ervan ligt. Neem dit boek mee alsof het een landkaart is en blijf rechtdoor lopen. Microstap voor microstap zul je merken dat je een van de belangrijkste en meest bevredigende reizen van je leven aan het maken bent en je zult daar veel verhalen over kunnen vertellen. Wanneer je je doel bereikt, zul je je scharen onder al die mensen die elke 'maar' hebben overwonnen en zich door geen enkel oponthoud meer hebben laten weerhouden om te komen waar ze zo graag naartoe wilden gaan. Je zult een van die mensen worden die hun eigen regenboog kunnen kleuren. Met andere woorden: je zult je lot in eigen hand nemen.

Bijlage 1
Een hart onder de riem

Onthoud in ieder geval dit:

Je eigen regenboog kleuren: het ergste wat er kan gebeuren met mensen die hun eigen regenboog niet kleuren, is niets. Het tegenovergestelde van succes is namelijk niet mislukking, maar status-quo. (Hoofdstuk 1)

In jezelf geloven: in jezelf geloven gaat over de relatie die je met jezelf hebt. Je moet erop vertrouwen dat je doel proberen te bereiken de moeite waard is en voor jou goed is om te doen, al was het alleen maar omdat je jezelf meer waardeert als je het tenminste hebt geprobeerd. (Hoofdstuk 2)

Weten of je een bepaald doel moet proberen te bereiken: als je begrijpt hoe bepaalde activiteiten zich verhouden tot je interesses en waarden, zul je ook begrijpen waar je vertrouwen in jezelf vandaan komt. (Hoofdstuk 3)

De waarheid: onder 'de waarheid' versta ik: een perspectief dat hout snijdt. Elk perspectief heeft zijn eigen waarde. Om je te helpen uit te zoeken wat voor jou waarde heeft, moet je kijken wat jou positieve energie geeft. Dat is jouw waarheid. (Hoofdstuk 4)

Zinloosheid: iets heeft pas betekenis als je er zelf betekenis aan geeft. Als het voor jou de moeite waard is, is dat alle zin die je nodig hebt om ertegenaan te gaan. (Hoofdstuk 5)

Keuze: op ieder pad heb je 'goed' en 'niet zo goed'. Het maakt niet uit welk pad je kiest: neem gewoon een pad en kom in beweging. (Hoofdstuk 6)

Passie: niemand voelt 24 uur per dag dezelfde passie wanneer hij een idee ontwikkelt en moeite moet doen om het te verwezenlijken. Maar wanneer je iets blijft volhouden, zal je genegenheid ervoor groeien, niet afnemen. (Hoofdstuk 7)

Geen flauw idee hebben hoe het moet: op een bepaald moment moet je gewoon doorgaan, zelfs als je er geen ervaring mee hebt. Op dat punt moet je net doen alsof, tot je weet hoe het wel moet. (Hoofdstuk 8)

Bang zijn: wanneer je geplaagd wordt door angst en twijfel, moet je gewoon boos worden. Schreeuw die innerlijke pestkoppen weg met jouw verbale equivalent van een karateslag. Wanneer je je ergert aan je angst en er kwaad op wordt, zal die er als een hond met zijn staart tussen zijn poten vandoor gaan. (Hoofdstuk 9)

Tijd: inventariseer waar je 'ja' en waar je 'nee' tegen wilt zeggen gedurende de hele dag. Als je echt denkt dat je helemaal geen tijd hebt, beschouw ieder moment dan als een kwestie van kiezen. (Hoofdstuk 10)

Energie: vraag je maar één keer af of je hier echt mee door wilt gaan. En als je dat antwoord eenmaal gegeven hebt, houd je daar dan aan. Stel jezelf niet steeds maar weer dezelfde vraag. Je hebt je beslissing genomen: nu moet je de volgende microstap zetten. Zelfs de kleinste activiteit levert dan al energie op. (Hoofdstuk 11)

Geld: geef jezelf toestemming om in je potentieel te investeren. Besef dat zelfs als alles mislukt en je niet het rendement krijgt dat je had gewild, je het wel zult overleven. Dan heb je iets geleerd wat je in de toekomst zult kunnen toepassen. (Hoofdstuk 12)

Intuïtie: maak contact met je intuïtie om jezelf vertrouwen te geven en de boodschap uit te zenden dat je veel zelfvertrouwen en invloed hebt. Om duidelijkheid in de interactie met anderen te scheppen, moet je uit je hoofd stappen en in hun hoofd stappen door vragen te stellen over wat zij denken, nodig hebben en voelen. (Hoofdstuk 13)

Geen mentor hebben: bouw je eigen mentor door alle complimenten die je ooit in je leven hebt gekregen, de successen die je ooit hebt geboekt, en de grote en kleine angsten die je ooit hebt overwonnen, te verzamelen. Als je geen mentor hebt, zul je het dus met een spiegel moeten doen. (Hoofdstuk 14)

Geen zin meer hebben: bij ieder project komen wel wat saaie werkzaamheden kijken, dus bereid je erop voor dat je je zult vervelen. Maar ren er niet voor weg, want dan kom je nergens. Dan ren je alleen maar weg van het bereiken van je doel. Blijf bij die verveling. Vaak is het zo dat die uiteindelijk weer inspiratie oplevert. (Hoofdstuk 15)

Ongeduld: we worden ongeduldig wanneer we de macht niet hebben om alles te laten gebeuren zoals we het willen en wanneer we willen. De manier om ongeduld tegen te gaan is door een serie haalbare ministappen op te zetten die we wél kunnen verwezenlijken. En denk eraan: 'Geduld is ook een vorm van actie.' (Hoofdstuk 16)

Mislukking: het is gemakkelijker om mislukkingen te accepteren en te rechtvaardigen dan om een gebrek aan actie te verantwoorden, zelfs naar onszelf toe. (Hoofdstuk 17)

- Deadlines zijn een fantastisch middel om je te motiveren, maar je hoeft ook weer niet iedere deadline als een kwestie van leven of dood te beschouwen. Als een deadline voor jou niet werkt, moet je hem aanpassen. Als je daar niet flexibel in bent, bereid je jezelf alleen maar voor op een mislukking. (Hoofdstuk 16)
- Ga altijd goed na wat de bron is van de angsten die mensen voor jou hebben. Wanneer iemand je waarschuwt voor alle afschuwelijke dingen die waarschijnlijk zullen gebeuren als je doorgaat met je plan, vraag dan rechtstreeks en zo nodig zelfs met wat agressie: 'Hoe weet jij dat nou?' Dan zul je meestal ontdekken dat hun informatie op zijn minst onbetrouwbaar is. Maak hun dat goed duidelijk. Zoals de religieus schrijver Edwin Cole heeft geadviseerd: 'Laat iemand anders jouw wereld niet voor je creëren, want als hij dat doet, maakt hij hem altijd te klein.' (Hoofdstuk 17)

Dankwoord